KB189745

뒷담
부록

스페이스
트렌드
2025

이노션 인사이트전략본부 BX LAB

싱긋

차별적인 브랜드 경험 설계를 고민하는 BX LAB이
지난 1년간 150개 이상의 다양한 공간을 탐색하며 발견한
브랜드 공간의 변화 방향을 담다

• 별도의 출처 표기가 없는 사진은 BX LAB이 직접 촬영한 것이다.

Contents

Part I

형태의 변화

팝업스토어라고 퉁 치기엔 ― 너무 다른 우리

트렌드의 최전선에 서야만 하는 마케터로서 수많은 산업군의 흐름을 쫓아가고 있노라면 이런 생각이 들 때가 있다. "우리는 끝까지 가는 민족이구나." 무엇이든 앞에 'K'가 붙으면 끊임없이 거듭하여 발전한다.

K-마카롱만 보더라도 알 수 있다. 본래 머랭으로 만든 꼬끄 2개에 크림이나 잼을 포개 만드는 프랑스식 디저트였던 마카롱은 한국에 들어온 후 예술의 정점을 찍게 된다. 원래 꼬끄의 두께보다 훨씬 얇게 발리던 크림을 5배, 10배 넣은 '뚱카롱', 마카롱과 동시에 유행하던 '앙버터'★를 마카롱 버전으로 만든 '앙버터 마카롱'은 기본이고, 꼬끄 사이에 약과를 넣은 '약과 마카롱'과 전이나 송편 모양으로 만들어진 '명절 음식 마카롱'까지 등장했다. 최근에는 '마라탕후루 챌린지' 인기의 여파로 꼬끄 사이에 탕후루를 통째로 넣은 '탕후루 마카롱'이 인기를 끌며 마카롱의 종주국인 프랑스보다 더 다채로운 K-마카롱의 위엄을 뽐냈다.

이처럼 끊임없이 레벨을 올려나가는 민족으로서 최근 팝업스토어 또한 그 정점에 다다른 것이 아닌가 하는 생각이 든다. 본래 팝업스토어란 짧은 기간 운영되는 오프라인 매장을 의미했다. 그러나 오프라인 경험의 시대에 K-팝업스토어는 더이상 단기 매장이 아니다. 브랜드의 역사와 헤리티지를 전시하는 공간인 동시에 브랜드 메시지를 체험하는 곳이며, 여러 IP와 협업하는 샌드박스이기도 하다. 단순한 팝업스토어를 넘어 '끝까지 발전하고 있는' K-팝업의 세계를 들여다보자.

★ **앙버터** 두꺼운 버터와 팥소를 빵 사이에 넣은 일본식 디저트

플래그십 스토어의 새 물결:
팝-래그십 스토어

Poplagship Store

1

팝-래그십 스토어(Poplagship Store)는 전통적인 플래그십 스토어와 팝업 스토어의 장점을 결합한 새로운 유형의 매장이다. 이 스토어는 브랜드의 핵심 메시지와 정체성을 전달하는 강력한 통일감을 유지하면서도, 팝업스토어처럼 짧은 기간 동안 테마를 자주 변경하고 리모델링을 통해 다양한 경험을 제공한다.

잘 만든 팝-래그십 하나, 열 팝업 안 부럽다

플래그십 스토어(Flagship Store)는 브랜드의 콘셉트를 보여줄 수 있는 핵심 스토어다. 브랜드가 가진 정체성과 비전을 보여줄 수 있는 공간으로, 여러 매장 중 가장 중요한 매장을 가리키기도 한다. 플래그십 스토어는 일반 매장이나 이벤트 공간과는 달리, 브랜드의 장기적인 이미지를 구축하기 위해 설계된 매장이다. 보통 오랜 기간 운영될 것을 염두에 두기 때문에 대규모 투자를 통해 브랜드 아이덴티티를 반영한 인테리어로 설계된다. 그렇기에 잘 만들어진 플래그십 스토어는 기업 브랜드를 드러내는 동시에 브랜드의 정체성을 강화하기도 한다.

그러나 최근 전통적인 플래그십 스토어의 개념이 변화하고 있다. 트렌드를 대하는 고객의 리듬이 빨라진 탓일까? 스크롤을 내리면 새로운 콘텐츠가 무한대로 쏟아져나오는 숏폼 시대에, 오프라인 공간에서도 더욱더 색다른 경험을 찾는 고객들이 늘고 있다. 이에 플래그십 스토어들 또한 매번 똑같은 공간 경험을 제공하기보다, 빠르게 변화하는 트렌드에 맞추어 새로운 볼거리를 전시하는 곳으로 진화하고 있다.

빠르면 달마다 개축과 리모델링을 진행하여 이전과 아예 다른 공간 경험을 제공하는가 하면, 적극적인 협업을 통해 브랜드에 아주 다른 색들을 덧씌우기도 한다. 고집스러울 정도로 일관된 콘셉트와 메시지를 유지하려는 이전의 전통적인 플래그십 스토어 개념과는 사뭇 다른 모습이다.

하우스 도산

공간으로 세상을 놀라게 하는 방법

아이아이컴바인드의 '하우스 도산'이 이러한 팝-래그십 스토어 열풍의 시작이라고 할 수 있다. 2021년, 서울 강남구 신사동에 문을 연 하우스 도산은 젠틀몬스터, 탬버린즈, 누데이크를 전개하는 아이아이컴바인드의 플래그십 스토어다.

젠틀몬스터는 2013년 논현동 플래그십 스토어를 시작으로 매장마다 새로운 시도를 지속하고 있다. 특히 하우스 도산은 '퓨처 리테일'★이라는 공간 개념을 제시하며, 판매에만 집중하기보다는 사람들에게 다채로운 감각을 전달할 수 있는 여러 수단에 대해 고민한 흔적을 선보인다. 아이아이컴바인드는 최초 기획 당시부터 사람들이 '하우스 도산에서 풍부한 경험을 느낄 수 있도록' 유도했다. 따라서 디저트 카페 누데이크, 아이웨어 브랜드 젠틀몬스터, 뷰티 브랜드 탬버린즈를 지하 1층부터 4층까지 층별로 배치하고, 개별 브랜드에서 추구하는 각기 다른 분위기를 보여주는 데 집중했다.

특히 고객이 처음 내부 공간을 마주하는 1층 라운지 공간에는 더욱 파격적인 시도가 적용됐다. 벨기에 출신의 아티스트 프레데릭 헤이먼(Frederik Heyman)과 협업하여 설치한 과감하고 거대한 인스톨레이션은 철거 직전의 낡은 건축물을 연상케 한다. 전형성을 포기한 건축물을 보면, 젠틀몬스터의 브랜드 DNA인 '세상을 놀라게 하라'를 떠올릴 수 있다.

↑ 아이아이컴바인드의 하우스 도산 (출처: 젠틀몬스터 홈페이지)

★ **퓨처 리테일(Future Retail)** 구매 공간을 소비뿐 아니라 다양한 체험을 할 수 있는 곳으로 디자인하여 고객에게 다채로운 경험을 전해주는 리테일 공간

하우스 도산은 입장하자마자 만나는 1층 공간을 비워두었다. 매번 새롭게 변신하는 1층 라운지는, 단순한 매장이 아니라 예술적인 경험과 영감을 제공하는 전시 공간으로서 방문객들에게 항상 신선한 기대감을 준다. 하우스 도산이 제시한 플래그십 스토어는 그 자체가 콘텐츠가 아니라 하나의 플랫폼으로 작동하며 변화하는 브랜드의 콘셉트를 담아낸다.

↓ 하우스 도산의 파격적인 인스톨레이션 (출처: 젠틀몬스터 홈페이지)

↑ '젠틀 살롱 팝업'을 진행중인 하우스 도산의 모습 (출처: 젠틀몬스터 홈페이지)

2024년 5월, 하우스 도산의 1층 라운지 공간은 완전히 변화했다. 이번에는 꿈꾸는 소녀의 무드를 담은 유니콘과 카피바라, 토끼 오브제로 가득하다. 바닥도 설탕 가루를 뿌린 듯 귀여운 핑크색이다. 친근하고 포근한 감성의 인형들은 최근 젠틀몬스터와 협업을 진행한 블랙핑크 제니의 상상 속 친구들이라고 한다. 제니 컬래버레이션 상품의 무드에 맞는 파스텔톤 색상과 부드러운 곡선이 돋보인다. 고급스럽고 현대적인 동시에 따듯하다.

↑ 젠틀고등학교 팝업스토어 (출처: 젠틀몬스터 홈페이지)
↓ 젠틀몬스터×메종 마르지엘라 컬래버레이션 팝업스토어 (출처: 젠틀몬스터 홈페이지)

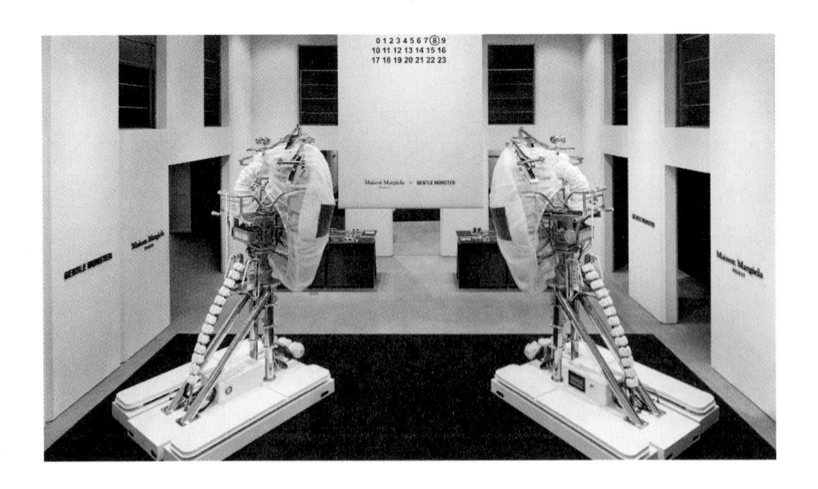

↑ 젠틀 젤리 팝업스토어 (출처: 젠틀몬스터 홈페이지)

하우스 도산의 1층 라운지는 이처럼 다양한 실험과 전시를 보여주는 공간이다. 브랜드의 컬렉션이 새로 공개되거나 컬래버레이션이 진행될 때마다 새로 꾸며진다. 핵심은 변화에 있다. 이전에 어떤 공간이었는지 상상하기도 어려울 정도로 색다른 콘셉트와 디자인이 적용된다.

커머스 플랫폼이 준비한 비장의 무기

팝업스토어 마케팅은 오프라인 공간에서 고객에게 브랜드 존재감을 각인시키고 접점을 만들 수 있는 방법이다. 그러나 지난 몇 년간 패션 브랜드들부터 F&B, 엔터테인먼트, 금융까지 수많은 브랜드가 팝업스토어에 뛰어들기 시작하면서, 팝업스토어를 운영하는 데 드는 비용 역시 점점 더 늘어나기 시작했다.

〈디지털타임스〉의 취재에 따르면 '팝업 성지'라고 불리며 Z세대의 놀이터가 되어가는 성수동의 경우 약 20평 기준 임대료가 평일 200~400만 원, 주말은 250만 원부터 시작한다고 한다. 이러한 비용 부담을 해결하고, 브랜드와 소비자 간의 접점을 효과적으로 늘리기 위해 커머스 플랫폼은 팝-래그십 스토어를 활용한 전략을 구상하게 되었다. 단순히 온라인상에서 중개 역할을 하는 것에서 벗어나, 오프라인에서도 브랜드를 적극적으로 홍보하고 소비자와의 소통을 강화하는 것이다. 플랫폼들은 가장 인기 있는 지역에 플래그십 스토어를 열고, 그 공간에서 입점 업체를 위한 다양한 팝업스토어 이벤트를 진행하고 있다.

이들의 플래그십 스토어를 팝-래그십이라고 분류한 이유는, 단순히 백화점이나 양판점처럼 입점 브랜드의 상품을 오프라인에서 판매하는 것에 그치지 않았기 때문이다. 마치 온라인상에서 캠페인을 진행하듯 매주 혹은 매달 오프라인 공간의 콘셉트를 바꿔가며 새로운 이벤트를 선보였다. 이러한 전략은 소비자에게는 새로운 경험을, 브랜드에는 비용 효율적인 마케팅 기회를 제공한다.

무신사 테라스 성수

팝-래그십 스토어를 통해 끈끈한 인연을 이어나가기

'무진장 신발 사진이 많은 곳'이라는 의미의 무신사는 신발을 좋아하는 사람들이 정보를 나누던 커뮤니티에서 시작하여 어느새 대한민국 대표 패션 버티컬 플랫폼으로 성장했다. 패션에 관심 있는 사람들이 모인 곳이었기에 어쩌면 무신사의 패션 생태계 구축 활동은 자연스러운 수순이었을지도 모른다.
무신사는 입점 브랜드의 성공이 곧 무신사의 성공이라고 믿었다. 따라서 국내 중소 디자이너 브랜드들의 입점부터 콘텐츠 제작, 브랜딩, 마케팅까지 적극적인 지원을 아끼지 않았다. 스몰 브랜드들은 무신사를 통해 성장의 기회를 엿보고, 무신사는 패션을 사랑하는 타깃 고객의 충성도를 높여 시장 경쟁력을 강화할 수 있었다.
무신사의 신진 브랜드 지원은 실질적인 현금성 지원부터 사무실 임대까지 그 형태가 다양하지만, 가장 주목할 만한 사례는 역시 팝-래그십 스토어를 통한 오프라인 진출 지원일 것이다. 대체로 영세한 브랜드들이 오프라인 진출에 대한 니즈가 있어도 이를 실현하기가 쉽지 않다는 점에 착안하여, 무신사는 서울 시내 입지가 좋은 곳에 무신사의 공간을 만들었고 이 공간에서 브랜드들이 소비자들과 직접 만날 기회를 제공했다.
성수동에 위치한 '무신사 테라스 성수'는 이러한 전략의 대표적인 사례다. 무신사 테라스 성수는 브랜드와 소비자가 직접 소통할 수 있는 다양한 이벤트를 제공한다. 이를 통해 고객들은 스몰 브랜드의 철학을 강력히 인지하고 지속적인 관심을 가질 수 있다.

무신사는 지난 2024년 봄, 식목일을 맞이하여 'ONE, TWO, TREE!' 팝업스토어를 열었다. 식목일이라는 시즌 이슈를 중심으로 소셜미디어에서 '꽃집 챌린지'로 유명해진 '비틀즈뱅크', Z세대에게 핫한 플랜테리어 브랜드 '식기난게(식물을 기르기엔 난 너무 게을러)' 등 식물 관련 브랜드를 한데 모아 무신사에 입점한 패션 브랜드들과 어우러지게 구성했다. 이를 통해 패션에는 관심이 없더라도 식목일을 맞이하여 식물에 관심이 생겼거나, 온라인 챌린지에 관심 있는 고객들을 끌어들였다. 무신사는 이처럼 다양한 팝-래그십 스토어 전략을 활용해 입점 브랜드들과의 협력 관계를 강화하고, 새로운 비즈니스 기회를 창출해나가고 있다.

↓ 무신사 테라스 성수 (출처: 무신사 테라스)

↓ 'ONE, TWO, TREE!' 팝업스토어 (출처: 무신사 홈페이지)

↘ 춤추는 꽃집으로 유명한 비틀즈뱅크가 무신사 팝업스토어 소식을 전하는 인스타그램 릴스
(출처: 비틀즈뱅크 인스타그램)

팝-래그십을 통해 오프라인 공간의 한계 벗어나기

일반적인 스토어들은 그 가게가 위치한 상권의 유동인구를 타깃으로 한다. 아무리 좋은 상품이라도 해당 상권의 소비층과 어울리지 않는다면 무용지물이다. 초등학교 앞에는 간식과 캐릭터 팬시상품을 파는 무인 문구점이, 오피스 밀집 지역에는 저가 커피 매장이 늘어서는 것은 당연하다.

그러나 팝-래그십 전략은 이러한 한계를 극복할 수 있게 한다. 팝-래그십 스토어는 정기적으로 테마를 변경하고 새로운 브랜드와의 협업을 통해 고객들에게 지속적인 신선함을 제공한다. 브랜드 스토어를 찾아올 만한 이유를 계속해서 만들어내는 전략인 것이다. 이는 특정 상권에 국한되지 않고 다양한 고객층을 유입시키는 데 효과적이다. 지난주에 20대 여성을 타깃으로 한 캐릭터 IP와 협업했다면, 다음주에는 30대 남성을 타깃으로 한 브랜드 컬래버레이션을 진행하는 식이다. 매장이 위치한 동네의 유동인구를 고려하기보다는 브랜드의 타깃, 나아가 다음 이슈의 테마를 더 많이 고려한다.

매월 또는 주기적으로 변화하는 테마와 이벤트는 매번 다른 고객들이 브랜드 매장에 방문하도록 유도한다. 매번 바뀌는 테마 덕분에 고객들은 온라인상에서 흥미로운 콘텐츠를 적극적으로 디깅하듯, 자신이 흥미롭게 느끼는 오프라인 공간을 일부러 찾아다닐 수 있게 된 것이다. 그렇기에 이들을 타깃으로 하는 팝-래그십 전략은 브랜드 타깃의 지속 가능한 확장을 도모할 수 있다.

도어투성수

팝업스토어를 통해 타깃을 확장하라

다양한 팝업스토어가 들어섰다가 순식간에 사라지는, 변화의 거리 연무장길 한가운데 자리잡은 터줏대감이 있다. 매월 다양한 브랜드와의 협업으로 GS25 브랜드에 새로운 색을 입히고 있는 '도어투성수'다.
도어투성수는 단순히 제품을 판매하는 편의점을 넘어, 문화와 여가를 즐길 수 있는 복합 공간으로 기획된 곳이다. 낮에는 고급 커피와 디저트를 맛볼 수 있는 카페지만, 밤에는 와인과 맥주를 즐길 수 있는 바(Bar)로 변신한다. F&B부터 생활용품까지 다양한 상품을 판매하는 전국 GS25 매장과는 달리, 핵심 PB 상품이나 단독 상품 150여 종을 진열하여 GS25의 플래그십 스토어 역할을 한다.

↓ 도어투성수 외관 (출처: 브런치스토리 '브랜드와 사람이 만들어가는 서울')

2022년, 도어투성수를 오픈하며 GS25는 당시 최고의 인기를 구사했던 블랑제리뵈르 버터맥주의 첫 팝업스토어를 이곳에 열었다. 이후 선양소주, 커티삭 등 주류업체에 더해 '냐한남자', '스폰지밥'과 같은 IP 협업까지, 핫한 브랜드들과의 컬래버레이션 팝업스토어를 진행해오고 있다. 도어투성수는 팝-래그십 전략을 통해 브랜드와의 끈끈한 관계 강화는 물론, 기존 GS25의 타깃은 물론 확장된 타깃을 만날 수 있는 전략을 취했다.
'편스토랑 한끼포차' 팝업스토어는 편의점 음식을 소재로 삼은 인기 예능 프로그램 〈신상출시 편스토랑〉(이하 〈편스토랑〉)의 콘셉트에 '포차' 인테리어를 더했다. 〈편스토랑〉은 유명 셀럽들이 자신만의 레시피로 음식을 만들어 대결하는 프로그램으로, 이 대결에서 우승한 메뉴들은 GS25에서 실제로 판매되고 있다. 한끼포차 팝업스토어는 이 프로그램에서 소개된 역대 우승 상품들을 한자리에서 만나볼 수 있는 형태로 구성되었다.

↓ 한끼포차 실내 모습
↗ 〈편스토랑〉 우승자 장민호를 활용한 홍보

도어투성수는 한끼포차 팝업스토어의 사전 홍보를 위해 〈편스토랑〉 우승자 중 한 명인 가수 장민호를 초대했다. 장민호가 직접 도어투성수에 방문하여 홍보 영상을 찍었고, 이는 그의 팬덤에게 바이럴 마케팅이 되었다. 도어투성수에 방문하면 장민호가 직접 개발해 우승까지 한 음식을 맛볼 수 있고, 그가 직접 방문한 공간에서 인증샷까지 찍을 수 있다는 점에 그의 팬덤인 40~50대는 열광했다. 이로써 기존 성수의 주요 고객층인 20~30대 여성뿐 아니라 40~50대 고객까지 유입시킬 수 있었다.

이처럼 도어투성수는 팝-래그십 전략을 활용해 연무장길의 고정된 유동인구에만 의존하지 않고 다양한 테마와의 협업을 진행해 지속적으로 새로운 고객층을 유입시키고 있다. 이는 브랜드 타깃의 지속가능한 확장을 도모할뿐더러 기존 고객들에게도 신선한 인상을 주어 방문 횟수의 증가 효과를 확보할 수 있다.

돈 내고 광고 체험?
페이-피리언스

Pay-Perience

2

페이-피리언스(Pay-Perience)는 비용을 지불하더라도 특별한 경험을 하고 싶어하는 고객들을 위해 등장한 유료 팝업스토어 트렌드를 의미한다. '지불하다(Pay)'와 '경험(Experience)'의 합성어로, 돈을 내고서라도 더 특별하고 독특한 경험을 하고 싶어하는 현상을 반영한다.

돈을 내고서라도 하고 싶은 브랜드 체험

성수동만 하더라도 한 달 평균 90개의 팝업스토어가 열린다. 수많은 팝업스토어가 '공급'되고 있지만, 팝업스토어만이 제공할 수 있는 색다른 경험들로 인해 언제나 '수요' 쪽이 더 많은 편이다. 수요가 공급을 이긴다면 자연스럽게 따라오는 수순이 있다. 바로 가격 상승이다. 전통적인 경제 논리에 부응하는 듯, 최근에는 일정 금액을 내고 체험을 예약하는 유료 팝업스토어까지 등장했다. 과거에도 브랜드 행사에서 유료 체험 예약이 있긴 했지만 이는 주로 원데이 클래스나 강사 초빙 등 명확한 비용이 드는 경우가 많았다. 하지만 최근에는 포토존 이용이나 럭키드로우 등 일반적인 팝업스토어에서 볼 수 있는 경험들마저 유료로 제공되고 있다.

유료 팝업스토어는 단순히 혼잡을 피하고 예약을 용이하게 만드는 것 이상의 의미를 지닌다. 유료임에도 매장이 붐빈다는 것은 많은 고객이 돈을 내고서라도 더 특별하고 독특한 경험을 원하고 있다는 방증이기 때문이다. 단순한 이벤트성, 홍보성 체험을 넘어 고객에게 가치 있는 경험을 제공한다면 브랜드는 이에 대한 정당한 대가를 요구할 수 있게 되었다.

팝업스토어를 유료로 운영할 경우 소정의 금액을 허들로 세워 쾌적한 체험 환경을 조성할 수 있다. 그뿐 아니라 유료 입장 고객에 한해 본품 증정을 포함한 여러 가지 혜택 등 예약 금액보다 더 큰 리워드를 줄 수도 있다. 고객은 브랜드와 관련한 경험을 할 수 있는 동시에 비용보다 더 큰 혜택을 받아 갈 수 있는 유료 팝업스토어를 선호하게 되었다.

이니스프리 인턴라이프

단돈 9,900원에 누리는 임직원 혜택

이니스프리는 자연주의를 지향하는 화장품 브랜드로, 최근 서울 성수동에 플래그십 스토어 '이니스프리 디아일'을 오픈했다. 이곳에서는 이니스프리 제품과 더불어 17가지 특별한 디저트와 음료를 만나볼 수 있다. 또한 시즌별로 브랜드 이슈를 반영한 팝업스토어를 운영하면서 고객에게 새로운 경험을 제공한다.

'이니스프리 인턴라이프'는 이니스프리 디아일에서 35일간 운영된 팝업스토어다. 이 팝업스토어는 고객이 이니스프리의 가상 인턴으로서 다양한 체험을 할 수 있도록 설계되었다. 연구소처럼 꾸며진 공간에서 이니스프리 제품의 성능을 알아보고, 디자이너가 되어 제품 용기를 디자인하는 체험을 하고, 마케팅 스튜디오 파트에서는 진짜 전문 스튜디오처럼 배치된 조명과 카메라로 제품과 함께 화보 촬영을 경험할 수 있었다.

특이했던 점은 방문 전에 네이버 사전 예약을 통해 9,900원을 지불하면 '인턴 온보딩 99 키트'를 받을 수 있었다는 것이다. 실제 신입 사원에게 제공되는 것처럼 구성된 이 키트는 인턴십 백팩, 인턴 사원증 교환권, 가운 이용권, 푸딩 교환권, 쿠폰 팩, 그린티 에너지 마스크팩 1매 등 다양한 기념품과 혜택으로 가득했다.

POP-UP
INNISFREE NEWS
WE ARE HIRING
INTERNS!
INNISFREE
NEEDS YOU
WE ARE LOOKING FOR
THE GREEN PIONEER.
APPLY NOW!
innisfree
THE ISLE

↑ 이니스프리 디아일 외관

↑ 네이버 사전 예약을 통해 유료로 예약한 사람들에게 제공한 '인턴 온보딩 99 키트'

→ 유료 사전 예약을 한 관람객만이 입을 수 있는 가운

→ 원하는 사진을 넣어 제작할 수 있는 사원증

푸딩은 이니스프리 디아일 카페테리아에서 판매중인 디저트로 정가 8,000원이고, 그린티 에너지 마스크팩은 정가 2,000원이다. 그뿐 아니라 이니스프리 제품을 30% 할인해서 구입할 수 있는 쿠폰은 비용 대비 더 큰 혜택을 돌려주려는 브랜드의 노력을 보여준다.

물론 간단한 체험들은 무료로도 이용할 수 있었지만, 인턴 온보딩 99 키트를 통해 이니스프리는 '인턴' 콘셉트와 관련한 과몰입을 유도했다. 사원증을 걸고 연구소 가운을 입은 채 이니스프리의 제품을 할인받아 구입할 수 있는 경험을 제공하여 브랜드의 일원이 된 듯한 느낌을 선사한 것이다. 또한 9,900원의 값어치보다 더 큰 혜택을 고객에게 되돌려주어, '내돈내산'★하여 키트를 구매했더라도 '큰 이득을 보고 있다'는 인상을 줬다. 이를 통해 고객들은 단순한 일회성 체험을 넘어 더욱더 가치 있는 경험을 할 수 있었다.

★ **내돈내산** '내 돈 주고 내가 산 제품'을 줄여 부르는 말로 소셜미디어에서 직접 산 상품의 리뷰임을 강조할 때 쓰는 말

어른들을 위한 '키즈 카페'가 되어드릴게요

최근 많은 오프라인 공간이 부진을 겪고 있다. 뉴스를 보면 국내 극장가는 여전히 어렵고, 한때 청소년 문화의 상징이었던 피시방 또한 빠르게 문을 닫고 있으며, 오프라인 유통 채널의 매출은 이미 e커머스가 따라잡은 지 오래다. 코로나19 엔데믹 이후 많은 사람이 오프라인 공간에 모여든다는데, 오히려 대표적인 오프라인 놀이 공간의 매출은 줄어들고 있다. 그렇다면 과연 요즘 사람들은 어떤 공간에서 시간을 보내고 있을까?

영화관, 피시방, 오프라인 쇼핑 공간은 팝업스토어가 대체했다. 팝업스토어가 '주류' 마케팅으로 떠올랐던 2021년부터 이노애널리틱스★로 소셜 버즈★를 살펴보면, '팝업스토어'와 관련된 언급량은 2021년 대비 2023년 751% 증가하였으며, 팝업스토어에 관한 연관어에 '체험'과 '경험'이라는 단어가 포함된 것을 확인할 수 있다.

이에 많은 브랜드가 팝업스토어를 어른들을 위한 '키즈 카페', 즉 새로운 놀이와 체험을 제공하는 신규 비즈니스 모델로 바라보기 시작했다. 해당 브랜드를 체험하러 온 고객에게 혜택을 돌려주기 위한 유료 팝업스토어에서 나아가, 브랜드와 관련도가 약하더라도 특별한 경험과 체험을 제공하면서 고객에게 가치를 선사하는 '시간 점유형 비즈니스 모델'이 등장한 것이다. 새로운 경험을 제공하는 공간이라면 고객들은 '팝업스토어임에도 불구하고' 돈을 지불할 용의가 생긴다. 브랜드 체험을 돈 내고 하는 것은 뭔가 이상하다고 느껴지지만, 새로운 경험 공간에 입장료를 내는 것은 자연스럽기 때문이다.

★ **이노애널리틱스** 이노션의 소셜 빅데이터 심층 분석 솔루션

★ **버즈** 기간 내 소셜미디어상에서 언급된 특정 키워드의 양을 살펴보는 분석

T팩토리

SKT가 만든 미래형 놀이터

T팩토리(T Factory)는 SK텔레콤이 운영하는 미래형 ICT 체험 공간이다. 이 공간은 최신 ICT 기술과 서비스를 체험하고, 다양한 디지털 콘텐츠를 즐길 수 있도록 설계된 복합문화공간이다. SKT는 기술을 통해 고객의 일상을 더욱 이롭게 만들고자 한다는 브랜드 메시지를 확장하고, T팩토리에서 다양한 경험을 제공하면서 고객을 즐겁게 만들고 있다. SKT는 T팩토리의 1층 공간을 비워 매번 새로운 체험을 마련한다.
그중 주목할 만한 것은, 단순한 재미를 목적으로 진행되는 팝업 이벤트들이다. 특히 2024년 진행된 'It's Your Day: 이번 광고, 생일 카페 주인공은 바로 너!' 이벤트나, 벌써 두번째 진행되는 'Horok! 술림픽'의 경우에는 진정한 어른들의 키즈 카페라고 할 수 있을 만한 경험을 제공했다.

↗ T팩토리 외관 (출처: SK텔레콤 뉴스룸 홈페이지)

'It's Your Day: 이번 광고, 생일 카페 주인공은 바로 너!' 이벤트는 방문객들이 직접 광고 모델이 되어볼 수 있는 팝업 이벤트다. T팩토리가 위치한 홍대입구역이 아이돌 가수를 비롯한 여러 셀럽의 생일 광고와 생일 카페★가 많이 있는 장소라는 점에 착안하여, 이 팝업 이벤트는 방문객들이 자신만의 광고를 제작하고, 촬영된 영상을 통해 주인공이 되는 경험을 제공한다.

키오스크에서 낮게는 2,000원부터 14,000원가량까지 하는 체험권을 구매하면 방문객은 마치 아이돌이 된 것처럼, 홍대입구역과 뉴욕 타임스스퀘어의 광고판처럼 꾸며진 포토존에서 나만의 광고를 걸고 인증샷을 찍을 수 있다.

인기 있는 또다른 이벤트였던 'Horok! 술림픽'은 다양한 주류를 체험할 수 있는 팝업 이벤트다. 방문객들은 다양한 주류를 맛보고 서로의 취향을 공유하며 새로운 술 문화를 경험할 수 있다. 한국을 대표하는 막걸리를 비롯해 와인, 하이볼 등 7개 주종에 맞추어 엄선된 총 44가지 주류를 시음해보고 금·은·동메달로 평가해보는 체험이 제공된다. 최소 4,500원부터 시작하는 시음권을 구매하여 저렴한 가격에 다채로운 술을 맛볼 수 있다.

이처럼 고객들은 독특하고 특별한 체험을 위해서라면 기꺼이 돈을 지불한다. 이때 팝업 스토어는 단순한 홍보 수단을 넘어서, 엔터테인먼트와 체험을 결합한 새로운 형태의 비즈니스 모델로서 기능한다. 아이들이 키즈 카페에서 시간을 보내듯 우리는 체험형 팝업에서 시간을 보내게 되는 것이다. T팩토리와 같은 사례는 앞으로 오프라인 공간이 어떤 역할을 해야 하는지에 대한 대답을 제시한다.

★ **생일 카페** 좋아하는 유명인의 생일을 기념하기 위해 팬들이 이벤트를 여는 카페

↑ T팩토리에서 체험권 구매 시 제작할 수 있는 나만의 기념 굿즈 (출처: SK텔레콤 뉴스룸 홈페이지)
↓ 생일 광고의 주인공이 되는 경험을 할 수 있는 전시 공간 (출처: SK텔레콤 뉴스룸 홈페이지)
↘ 'Horok! 술림픽' 행사장 모습

할말이 많으면 공간을 분리하자:
멀티 팝업

Multi-Pop-Up

3

멀티 팝업(Multi-Pop-Up) 전략이란 한 브랜드가 여러 개의 팝업스토어를 동시에 운영하는 마케팅 전략을 의미한다. 이는 각 팝업스토어의 목표와 타깃에 따라 다양한 형태와 콘텐츠를 제공하여 고객의 관심을 끌고 브랜드와의 소통을 강화하려는 방법이다. 여러 팝업스토어를 다양한 위치나 다른 콘셉트로 동시에 운영함으로써, 브랜드는 더 많은 고객과 접촉하고 더욱 깊이 있는 경험을 제공할 수 있다.

온라인 채널만큼이나 분화하는 팝업스토어 채널

'멀티채널 마케팅(Multi-Channel Marketing)'이란 기업이 제품이나 서비스를 홍보하고 판매하기 위해 여러 마케팅 채널을 사용하는 전략이다. 마케팅을 위해선 최대한 많은 채널에 제품을 노출하는 것이 중요하다. TV, 인쇄 매체, 온라인 매장, 소셜미디어, 이메일 등 다양한 매체가 있으니 이를 최대한 이용해야 한다.

이와 마찬가지로 최근 브랜드들의 팝업스토어 운영 사례를 살펴보면 '멀티 팝업 마케팅'의 시대가 왔다고 할 수 있다. 브랜드들은 캠페인의 타깃에 따라 팝업스토어의 운영 형태와 장소를 결정하며, 그 목적에 따라 동시에 여러 개의 팝업스토어를 운영하기도 한다.

특히 범용적인 제품을 가진 브랜드의 이러한 접근 방식은 그 진가를 발휘할 수 있다. 왜냐하면 범용적인 제품은 종종 그 자체로 큰 차별성을 두기 어렵기 때문이다. 팝업스토어는 범용적인 제품의 다양한 USP★를 선보이기에 가장 적합한 채널이다. 팝업스토어에서는 몰입감 있는 스토리텔링이 가능하기 때문이다. 각각의 타깃에게 맞는 스토리텔링과 공간 체험을 통해 브랜드는 제품의 장점을 효과적으로 전달하고, 개인에게 적합한 방법으로 제품과의 정서적 연결을 강화할 수 있다.

★ **USP(Unique Selling Proposition)** 제품이나 서비스가 경쟁 제품과 차별화되는 고유한 장점이나 특징

캐치 미 이프 유 캔

갤럭시 Z 시리즈를 활용하여 범인을 찾아라

← 일상비일상의틈에서 진행된 방탈출 콘셉트의 갤럭시 팝업 이벤트 (출처: 일상비일상의틈byU+ 인스타그램)

강남역 LG유플러스의 복합문화공간 '일상비일상의틈'에서 팝업 방탈출 게임이 열렸다. 방탈출 게임은 참가자들이 제한된 시간 내에 여러 가지 퍼즐과 미션을 해결해 특정 공간에서 탈출하는 게임으로, 다양한 테마와 스토리라인을 따라 팀원들과 협력하여 단서를 찾고 문제를 해결해나가는 방식으로 진행된다.

이번 '캐치 미 이프 유 캔(Catch Me If U Can)' 팝업 이벤트는 실종된 가상의 인물인 Z 작가를 찾기 위해 형사가 되어 갤럭시 제품들을 활용해 단서를 찾아나가는 스토리로 구성되었다. 고객들은 실제 범행 현장처럼 꾸며진 방 안에서 갤럭시 버즈3의 자동 통역 기능을 사용하여 프랑스인에게 힌트를 받거나, 갤럭시 Z 폴드6 제품에 몽타주를 그리면 AI가 이를 실제 사진처럼 변환해주는 기능을 체험하는 등 신제품을 활용하여 미션을 해결해나갈 수 있었다.

평소 방탈출 게임을 즐겨하는 MZ세대를 타깃으로 기획된 이 팝업 이벤트는 젊은 고객들이 평소에도 재미있게 여기는 AI 사진 변환 기술, 동시통역 기술 등을 주로 사용했다. 이를 통해 신제품의 혁신 기술을 체험해보고, 삼성 제품에 대한 호감도를 높일 수 있었다.

갤럭시 스튜디오

갤럭시와 함께 더욱 편안해진 당신의 여름휴가를 상상해보세요

백화점의 넓은 로비 공간에 웬 공항이 나타났다. 마치 공항 카운터처럼 꾸며진 이곳은 갤럭시 Z 폴드6와 Z 플립6 출시를 기념하여 열린 '갤럭시 스튜디오' 팝업스토어였다. 이번 갤럭시 스튜디오는 여름을 맞이하여 해외여행을 가는 콘셉트로, 실제로 공항에서 비행기를 타고 내리는 순서를 따라가며 갤럭시를 일상에서 얼마나 편리하게 사용할 수 있을지 보여주었다.

↓ 공항 콘셉트로 꾸며진 갤럭시 스튜디오의 모습

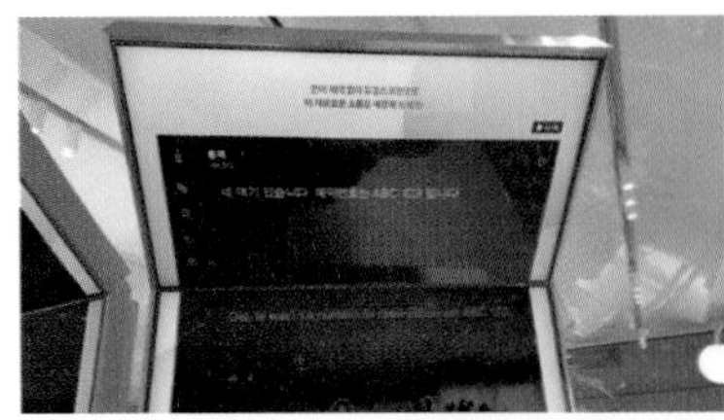

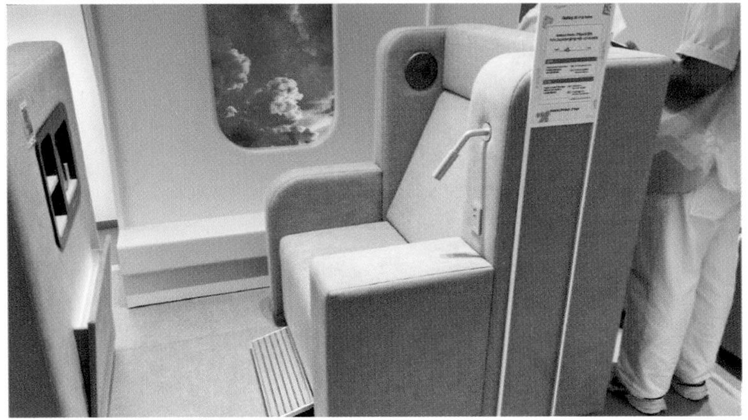

↑ 갤럭시의 기술을 체험할 수 있는 공간

고객들은 실제 공항의 체크인 카운터처럼 꾸며진 카운터에서 갤럭시 AI 대면 통역 기능을 사용하여 외국어를 사용하는 승무원과 대화해볼 수 있었고, 면세점에서 쇼핑하듯 플립수트 카드와 디자인 오브제를 골라 꾸미는 체험을 할 수 있었다. 기내 퍼스트 클래스를 재현한 공간에서는 갤럭시 버즈3 프로를 직접 사용하여 초고음질의 오디오를 감상하고, 갤럭시 Z 플립6의 자동 줌 기능을 활용하여 여러 구도의 인증샷을 남길 수 있었다.
삼성전자는 롯데백화점 에비뉴엘 잠실점, 더현대 서울, 삼성스토어 홍대에서 이와 같은 공항 콘셉트의 갤럭시 스튜디오 팝업스토어를 선보였다. 여름을 맞이하여 가족들과 함께 해외로 휴가를 가는 사람들이 증가하는 시즌에, 실제 공항처럼 몰입도 높게 구현함으로써 갤럭시와 함께하는 여행이 얼마나 편리하고 즐거울지 상상하게 했다.

브랜딩 목적이 다르다면, 팝업도 다르게

어떤 것을 강조하고 싶은지에 따라 팝업스토어의 형태가 달라져야 한다. 내용과 맞는 형식이어야 고객에게 메시지를 더 확실히 각인시킬 수 있기 때문이다. 브랜드 헤리티지를 보여주기 위해서는 이머시브형 전시나 스토리텔링 방식의 팝업스토어가 적합하다. 그러나 캐릭터 IP와 협업한 제품이라면 그보다는 캐릭터를 활용한 포토존형 팝업스토어가 나을 수 있다. 기능을 강조해야 할 때는 미션 달성 시 리워드를 주는 체험형 팝업스토어가 필요하고, 매출 목표가 높은 상황이라면 제품 판매에 중점을 둔 판매형 팝업스토어가 좋다.

물론 이 모든 요소를 하나의 팝업스토어에 담아내면 좋겠지만 현실은 녹록지 않다. 공간이 넓어질수록 기하급수적으로 올라가는 임대료는 차치하더라도, 다양한 요소를 담으려다보면 각각의 요소가 제대로 전달되지 못할 가능성이 크다. 따라서 명확한 브랜딩 목적에 따라 팝업스토어를 분리하여 운영하는 것이 중요하다. 이를 통해 각 팝업스토어는 특정 목표에 집중할 수 있으며, 고객들에게 더 명확하고 강력한 메시지를 전달할 수 있다.

〈피지컬: 100 시즌 2-언더그라운드〉 론칭 파티

고관여 팬들에게 잊지 못할 경험을 선사하자

2023년 새로운 포맷과 독특한 경연 방식으로 화제를 모았던 〈피지컬: 100〉이 두번째 시즌으로 돌아왔다. 넷플릭스는 나이키와 협업하여 '〈피지컬: 100〉 시즌 2 론칭 파티'를 개최했다. 론칭 파티는 나이키 홈페이지에서 사전 신청을 받아 당첨된 고객들만을 초청하여 이루어졌으며, 시즌 2를 기대하게 할 만한 여러 체험과 이벤트로 구성되었다. 지하 광산을 테마로 꾸며진 파티 공간에는 여러 층에 걸쳐 다양한 포토존이 마련되어 있었다. 참가자들은 무동력 트레드밀, 풀업, 배틀로프 등 〈피지컬: 100 시즌 2—언더그라운드〉에서 영감을 받은 미션들을 직접 체험해볼 수 있었다. 가장 재미있는 점은 미션을 수행할 때마다 프로그램처럼 도전자들의 기록이 스크린에 나타났다는 점이었다. 챌린지에서 1등을 기록한 참가자에게는 나이키 모자와 가방이 선물로 주어졌다. 1등을 하지 못했더라도 방문객들은 자신이 체험한 챌린지를 통해 스티커를 획득하고 이를 나이키 커스텀 기념 티셔츠로 교환할 수 있었다.

넷플릭스와 나이키는 프라이빗 초대 방식의 행사를 통해 참가자들에게 독점적이고 특별한 체험을 제공함으로써 프로그램에 대한 충성도와 기대감을 강화했다. 또한 실제 촬영 현장을 양질로 재현한 세트장, 실제로 기록이 체크되는 스크린 등 참여자들이 소셜미디어에 공유할 만한 요소를 제공하여 자연스러운 바이럴 마케팅 효과까지 누릴 수 있었다.

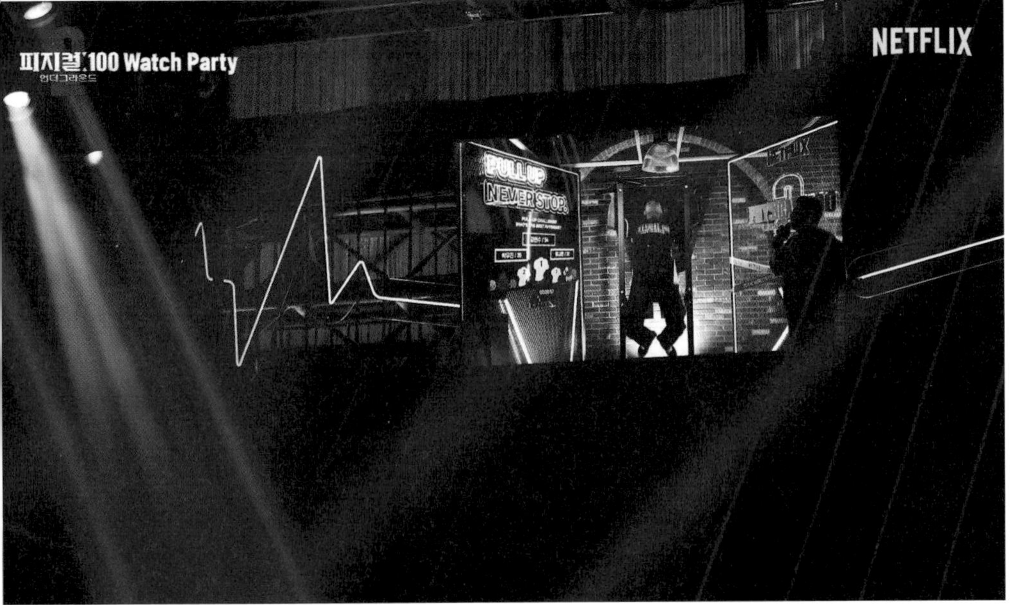

↑ 〈피지컬: 100〉 와치파티 영상 캡처 (출처: 넷플릭스 코리아 유튜브)

〈피지컬: 100 시즌 2—언더그라운드〉 팝업스토어

대중에게 시즌 2 론칭 소식을 인지시키자

넷플릭스는 론칭 파티뿐 아니라 GS25와 협업하여 〈피지컬: 100 시즌 2—언더그라운드〉 공개를 이슈화할 컬래버레이션 상품을 준비했다. 또한 이 상품의 공개를 비롯해 론칭 소식을 더 널리 홍보하기 위해 도어투성수에서 팝업스토어를 진행했다.
도어투성수의 팝업스토어는 나이키 론칭 파티와는 달리 대중을 대상으로 한 이벤트로, 프로그램의 인지도를 넓히기 위해 기획되었다. 다양한 체험과 게임을 통해 방문객들이 프로그램의 분위기를 직접 느껴보도록 함으로써 유동인구가 많은 지역에서 프로그램을 효과적으로 홍보했다.

↓ 넷플릭스와 GS25의 컬래버레이션 상품 (출처: GS리테일 뉴스룸 유튜브)

외관부터 〈피지컬: 100 시즌 2—언더그라운드〉를 상징하는 토르소로 꾸며진 도어투성수에서는 인바디 측정, 트레드밀 게임, 악력 게임 등 누구나 쉽게 참여할 수 있는 게임들로 공간을 구성했다. 매장 곳곳에는 〈피지컬: 100〉 시즌 2 참가자들의 포스터가 붙어 있었고, 출연진들의 친필 사인과 메시지가 적혀 있어 팬들에게 즐거움을 주었다. 테라스에는 주요 장면을 재현한 포토월과 운동 기구들이 설치되어 있어, 팬들이 사진을 찍으며 프로그램의 분위기를 만끽할 수 있었다.

이를 통해 〈피지컬: 100〉 시즌 2에 대한 관심을 폭넓게 확산시키고, 더 많은 사람이 프로그램을 접할 기회를 제공했다.

↓ 도어투성수에서 진행된 〈피지컬: 100 시즌 2—언더그라운드〉 팝업스토어 (출처: GS리테일 뉴스룸 유튜브)

Part II

퍼포먼스의 변화

더 좋은, 더 멋진, 더 매력적인 공간을 만들려는 디테일한 노력이 만든 변화

말 그대로 브랜드 공간의 중흥기다. 성수동 분식집 '현영이네'부터 카페 '대림창고 갤러리'까지 약 600미터의 연무장길 좌우로 80여 개의 작은 건물이 들어서 있고, 그중 절반은 일주일만 지나면 간판과 인테리어 디자인이 바뀌며 새로운 브랜드 공간으로 탈바꿈한다. 또한 2023년 더현대 서울의 팝업스토어 오픈 건수는 440건에 달하며, 매주 새로운 브랜드와 새로운 경험을 제공하는 공간을 론칭한다. 이제 고객은 성수동과 더현대 서울에 요즘 어떤 브랜드가 마케팅을 하는지 보기 위해 방문한다. 대한민국 마케팅업계가 제작하는 광고를 고객이 발품 팔아 읽어보고 있는 상황이다.
공간 브랜딩이 점점 중요한 마케팅 방법으로 주목받으면서, 브랜드가 진행하는 팝업스토어, 전시, 이벤트는 더 치열한 경쟁 상황에 놓이게 되었다. 더 크고 매력적인 공간에서 브랜드는 향상된 공간 디자인으로 무장하고 방문자의 눈을 한 번에 사로잡기 위한 다양한 기술적·예술적 요소를 고민한다. 2024년은 이런 디테일한 퍼포먼스의 발전이 그 어느 때보다 눈에 띄는 한 해였다.

거대한 메시지를 담는 거대한 공간:
브랜드마크 스페이스

Brandmark Space

1

브랜드마크 스페이스는 '브랜드(Brand)+랜드마크(Landmark)'와 '공간(Space)'의 합성어로, 브랜드가 거대한 공간을 활용해 랜드마크처럼 상징적이고 규모감 있는 경험을 제공하는 전략적 공간을 의미한다. 이 공간은 단순한 제품 판매를 넘어, 브랜드의 메시지와 가치를 압도적인 스케일로 전달하여 소비자에게 깊은 인상을 남긴다.

더 커지고 다양해지는 공간 브랜딩

팝업스토어가 힙해진 지는 오래되지 않았다. 얼마 전까지 팝업스토어는 브랜딩을 위한 공간이라기보다는 세일즈를 위한 공간이었다. 팝업스토어는 백화점에서 흔히 '기획전'이라는 이름과 혼용되며 자투리 공간에서 수수한 옷걸이와 매대를 두고 진행되었다. 그러나 몇 년 사이 팝업스토어는 상설 매장의 화제성을 능가했고, 브랜드들은 팝업스토어에 큰 마케팅 효과를 기대하고 투자 비용을 늘리기 시작했다.

여행지에서 거대한 랜드마크나 조형물을 볼 때, 우리는 그 거대한 공간이 주는 메시지에 자연스레 집중하게 된다. 스케일이 큰 공간은 그 안에 있는 사람에게 많은 메시지를 한 번에 납득시키는 파괴력이 있다. 그 어느 때보다 공간 브랜딩의 가치가 높은 지금, 거대한 공간에서 과감히 브랜딩을 시도하며 대중을 압도하고 메시지의 임팩트를 강화하려는 시도가 돋보인다.

규모가 커진 만큼 콘텐츠 또한 다양해졌다. 팝업스토어는 이전보다 규모가 커지며, '스토어'라는 단어로는 의미를 모두 담을 수 없는 복합적인 공간이 되고 있다. 대규모 전시 체험관, 복합문화공간 등등 공간에 대한 여러 명칭이 혼용되며 물리적 규모 면에서도, 마케팅적 기능 측면에서도, 방문자가 느끼는 가치 측면에서도 브랜드 공간은 계속해서 거대해지고 있다.

포켓몬 타운 2024 with LOTTE

거대 소비재 그룹과 거대 IP의 만남

닌텐도의 글로벌 대형 IP인 '포켓몬스터(이하 포켓몬)'를 모르는 사람이 있을까? 1996년에 시작하여 30년 가까이 인기를 유지하고 있는 포켓몬은 그 긴 수명만큼 영화, 만화, 게임, 완구 등 다양한 콘텐츠를 론칭했다. 그러므로 사람마다 포켓몬 콘텐츠에 대한 경험이 천차만별하다는 점은 매우 흥미롭다.

콘텐츠의 깊이 측면에서도 팬들 간의 성향 차이가 드러난다. 누군가는 귀여운 피카츄 인형을 갖고 싶어하지만 다른 포켓몬은 잘 모르고, 누군가는 모든 포켓몬의 이름과 외관, 특징을 줄줄이 꿰고 있다. 이쯤 되면 서로가 같은 IP를 좋아하는 것인지 헷갈릴 정도로 콘텐츠 경험이 다르다. '포켓몬 팬'은 다양한 콘텐츠 접점과 서로 다른 몰입도를 가지기에

↓ 석촌호수 전체를 활용한 '포켓몬 타운 2024 with LOTTE' (출처: 롯데그룹 홈페이지)

거대하고 다양하다. 이 고객 그룹을 모두 만족시키는 브랜드 공간을 만드는 방법은 거대한 장소에 가능한 한 모든 요소를 페스티벌처럼 펼쳐두는 것이다.

2024년 4~5월, 잠실에 위치한 롯데의 거대한 쇼핑 공간 전체에서 포켓몬 IP와의 컬래버레이션이 이루어졌다. '포켓몬 타운 2024 with LOTTE'라는 이름으로 진행된 이 행사는 규모 면에서 다른 이벤트를 압도한다.

'포켓몬 타운 2024 with LOTTE'는 롯데의 10개 계열사가 협력하여 만든 메가 이벤트로, 잠실의 쇼핑 공간과 석촌호수 전체를 넓게 활용했으며, 호수 중앙에서는 물에 사는 포켓몬 '라프라스' 풍선이 방문객을 반겼다. 이 대형 풍선은 단순히 시선을 끌기 위한 요소를 넘어, '포켓몬 GO' 게이머가 희귀한 포켓몬인 라프라스를 잡을 수 있는 특별 구역임을 알리는 표지이기도 했다. 곳곳에는 대중적인 인기 포켓몬 피카츄와 이브이가 반기는 포토존이 위치하고 있어, 호수 주변 전체가 포켓몬 타운이 된 것 같은 분위기를 선사했다.

롯데월드몰 1층에서는 거대한 포켓몬 팝업스토어가 인형과 액세서리를 원하는 팬들을 맞이한 반면, 롯데월드 광장에는 포켓몬 게임 마니아를 위한 '포켓몬 GO' 체육관이 설치되어 게이머 간 포켓몬 배틀을 할 수 있었다. 롯데시네마에서는 이 기간에 애니메이션 〈포켓몬스터: 성도지방 이야기, 최종장〉이 상영되었다. 정말로 포켓몬 타운에 온 듯한 기분을 느끼도록 하기에 충분한 규모감이었다. 롯데그룹은 다양한 니즈의 팬을 만족시키기 위한 공간과 콘텐츠를 구비하여 성공적으로 팝업스토어를 진행했다.

↓ 포켓몬 팝업스토어와 '포켓몬 GO' 체육관 (출처: 롯데그룹 홈페이지)

'포켓몬 타운 2024 with LOTTE'는 콘텐츠 메이킹뿐 아니라 이를 각 계열사 브랜드와 연결시키는 데에도 고민을 잊지 않았다. 이벤트의 중심인 아레나광장에서는 크리스피 크림 도넛이 운영하는 '이상해씨의 도넛 창고', 롯데칠성음료가 운영하는 '꼬부기의 음료수 보관소', 롯데시네마가 운영하는 '메타몽의 무비 하우스', 엔제리너스가 운영하는 '이브이의 스위트 카페' 등 각각의 캐릭터와 계열사를 매칭하여 부스를 운영했다. 이는 포켓몬의 종류와 각각의 소비재 브랜드가 매칭되어 롯데그룹의 규모와 다양성이 매력적으로 각인되는 효과를 가져왔다. 또한 큰 비용과 리소스가 들어가는 이벤트인 만큼, 커뮤니케이션 효과를 최대한으로 높이고자 하는 노력이 엿보였다. 거대한 공간 규모에 걸맞은 IP와의 컬래버레이션, 다양한 층위의 고객군을 각각 만족시키기 위한 페스티벌 같은 구성, 투입만큼의 효과성을 잊지 않은 자사 브랜드와의 매끄러운 연결이 돋보인 이벤트라고 할 수 있다.

↓ 롯데그룹의 다양한 계열사와 주요 포켓몬을 연결시킨 브랜드 공간들 (출처: 롯데그룹 홈페이지)

디즈니 100주년 팝업: House of WISH

역대 프린세스가 다음 대작 영화에 전달하는 왕관

'디즈니 100주년 팝업: House of WISH'는 '누디트 서울숲' 두 개 층에서 진행된 대형 팝업 스토어로, 오픈 당일 새벽부터 대기 줄이 생길 정도로 큰 인기를 자랑했다. 팝업스토어의 주인공은 기업 '월트 디즈니'가 아니라 디즈니의 성공한 역대 영화 속 프린세스들이 보여주는 진취적인 메시지다. 디즈니를 대표하는 영화의 대표적 장소를 재현하고, 다양한 인터랙티브 기술을 활용해 방문객들이 그 영화 속에 있는 듯한 느낌을 제공했다. 〈겨울왕국〉 공간에서는 프로젝션을 이용해 방문자의 발걸음마다 눈을 밟는 듯한 그래픽을 띄우고, 〈알라딘〉 공간에서는 하늘을 나는 양탄자에 탄 듯한 느낌을 3면 스크린을 통해 보여주는 식이다. 각각의 공간이 디즈니 영화를 보았던 어린 시절을 떠올리게 했다.

↓ 디즈니 100주년 팝업: House of WISH (출처: 월트 디즈니 컴퍼니 코리아)

이에 더해 각각의 영화 속 공간에 들어갈 때는, 디즈니 프린세스가 자신이 꿈꾸는 목표에 다가가려는 의지를 보여주는 대사를 방문객이 읽어보게끔 한 이후에 직원이 문을 열어주었다. 방문객은 영화를 본 기억은 가물가물하더라도 읽는 순간 다시 기억이 되살아나는 대사를 보며, 새삼스레 디즈니가 전 세계 사람들에게 공통된 추억을 선사하는 거대한 영향력이 있음을 확인할 수 있었다.

디즈니가 자신들의 100주년을 기념하는 공간에서 아름다운 디즈니 영화 속의 공간을 재현하고 디즈니 프린세스의 대사를 보여주는 것에 콘텐츠를 집중한 이유는 무엇일까? 바로 비슷한 시기에 개봉한 디즈니 100주년 기념 신작 영화 〈위시(Wish)〉로 방문객의 관심을 온전히 이끌기 위해서다. 모든 영화의 공간과 프린세스의 메시지를 차례대로 체험하고 나면, 팝업스토어의 마지막은 영화 〈위시〉에 관한 공간으로 이어진다. 자신의 소원을 직접 이루고자 하는 주인공의 이야기인 영화 〈위시〉를 홍보하기 위해, 역대 디즈니 프린세스의 상징적인 대사를 보여주어 이 신작 영화가 역대 디즈니 프린세스 영화와 같이 진취적 서사를 가진 주인공이 나오는 대작 영화임을 전달했다. 영화 〈위시〉의 성공 여부를 떠나 이 팝업스토어는 100주년 기념 영화에 관심을 불러일으키려는 목적성이 명확한 브랜드 공간으로 해석할 수 있다.

↓ 각 영화의 공간 앞에 배치된 디즈니 프린세스의 대사

↘ 디즈니 100주년 기념작 〈위시〉 (출처: 월트 디즈니 컴퍼니 코리아)

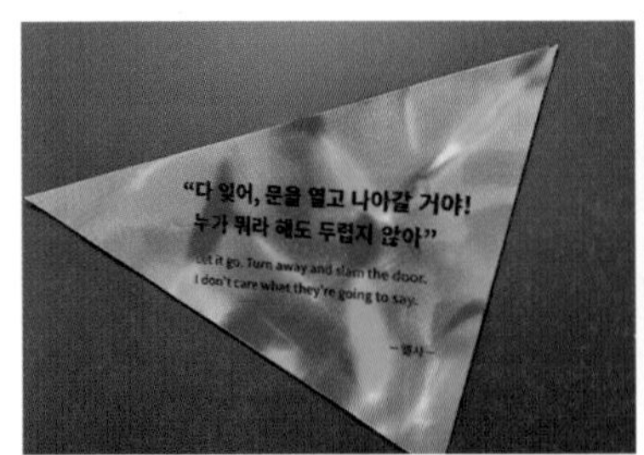

워너브라더스 100주년 특별전: CELEBRATING EVERY STORY

모든 이야기에 찬사를, 우리의 100년에 찬사를

디즈니와 달리 워너브라더스는 브랜드의 역사를 전달하며 모든 분야를 공평하게 다루려고 했다. 워너브라더스의 브랜드 공간은 동대문디자인플라자(DDP)에서 유료 전시 형태로 진행되었으며 인스타그래머블한 접근보다는 박물관과 같은 전시물과 정보 전달이 콘텐츠의 주를 이뤘다. 마치 "우리가 곧 영화 그 자체다"라고 외치는 것처럼 '영화'라는 매체에 대한 찬사로 넓은 공간을 채웠다.

워너브라더스의 전시는 영화를 구성하는 모든 요소와 종사자의 노력을 보여준다. '시나리오 작성(Screenwriting)' 섹션에서는 영화 〈매트릭스〉 중 모피어스가 네오에게 빨간 약과 파란 약을 권하는 장면의 대본이 만들어지는 과정을 보여주어, 관객들이 영화에서 느낀 요소가 텍스트로는 어떻게 쓰여 있었는지를 알 수 있게 했다. '아트(Art)'에서는 온갖 영화의 소품을 만드는 스태프의 노력과 그 결과물로 〈다크 나이트〉에 나온 배트모빌을 볼 수 있고, '공간(Space)'에서는 시트콤 〈프렌즈〉에 나오는 아이코닉한 소파에 앉을 수 있으며, '코스튬(Costume)'에서는 〈해리 포터〉 시리즈에 등장한 기숙사 교복을 구경할 수 있었다. 전시는 천천히 거대한 공간을 오가며 영화의 모든 요소에 대해 이해하고 즐길 수 있도록 꾸며졌고, 전시를 즐기는 동안 영화 산업에서 워너브라더스가 얼마만큼의 위상을 가지고 있었는지 이해할 수 있게끔 구성되었다.

← 워너브라더스 100주년 특별전: CELEBRATING EVERY STORY (출처: GNC Media 홈페이지)

WB

BUGS
DAFFY

←↙↑ 워너브라더스 100주년 특별전: CELEBRATING EVERY STORY (출처: GNC Media 홈페이지)

이머시브(Immersive) 요소의 발전:
인투더신

Into the Scene

2

인투더신(Into the Scene)은 브랜드 공간에서 방문자가 마치 한 장면 속으로 들어간 듯한 몰입감을 받는 것을 뜻한다. 브랜드가 고객을 단순한 관람자가 아닌 스토리의 일부로 끌어들이며, 연극적 연출을 통해 브랜드의 메시지와 가치를 체험하게 한다.

당신은 연극 무대 위에 있습니다

브랜드 공간 기획과 공연 기획의 공통점은 무엇일까? 그들이 만든 결과물이 관객 또는 고객의 시간을 점유한다는 점이다. 소중한 여가시간을 쪼개서 공연을 보러 가듯이 사람들은 성수동 팝업 이벤트에 줄을 서거나 심지어는 돈을 낸다. 돈과 시간을 들여 광고를 보는 셈이다. 브랜드 공간은 TV 프로그램과 프로그램 사이, 검색창과 검색 결과 사이에서 잠시 고객을 맞이하는 짧은 광고와는 상황이 다르다. 브랜드 공간 기획자는 시간을 들여 방문한 사람들을 만족시켜야만 한다. 브랜드 팝업 이벤트도, 대학로의 공연도, 자칫하면 방문자의 하루를 망칠 수도 있다.

연극을 볼 때 처음부터 이야기에 몰입하는 데 실패하면 공연이 끝날 때까지 고통스러운 시간을 견뎌야 하듯이, 브랜드 공간 또한 마찬가지다. 공간에 들어선 순간 브랜드의 이야기에 빠져들지 않으면 소비자는 따분해하거나 중도에 이탈하게 될 것이다. 브랜드에 대한 부정적인 경험만 남게 되는 것은 당연하다. 결국 기획자는 고객의 공간 경험 시작부터 몰입을 끌어내기 위한 여러 방법을 시도하게 된다.

고전 소설 『이상한 나라의 앨리스』에 나오는 흰토끼는 앨리스가 이상한 공간으로 왔다는 것을 깨닫게 하는 역할을 한다. 단안경을 쓰고 회중시계를 보며 "바쁘다 바빠"를 중얼거리는 토끼를 보고 앨리스는 '이곳은 전혀 다른 곳이다'라는 느낌을 받는 것이다. 우리는 특별한 복장을 한 누군가가 몇 마디 말로 상황을 제시하기만 해도 생각보다 쉽게 새로운 세계로 빠져든다. 이 몰입의 마법은 연극과 뮤지컬 같은 공연에서 흔히 볼 수 있다. 그리고 브랜드 공간에서도 비슷한 몰입을 만들어내기 위해 전문 배우들이 등장하게 되었다.

〈삼식이 삼촌〉 스페-샬 팝업

배우들이 당신을 과거의 한국으로 데려간다

디즈니플러스의 드라마 시리즈인 〈삼식이 삼촌〉은 국민배우 송강호의 첫 드라마 시리즈로 주목받았다. 이 시리즈가 흥행을 위해 넘어야 할 이슈 중 하나는 극중 배경이 한국 광복 이전부터 시작되는 시대극이라는 점이었다. 중장년층이 주 시청자층인 시대극을 OTT 플랫폼에서 성공시키기 위해서는 젊은층이 시대극의 배경에 관심을 갖게 할 필요가 있었다. 이를 위해 디즈니플러스에서는 '〈삼식이 삼촌〉 스페-샬 팝업'을 성수에 오픈하면서, 입장 대기 공간부터 전문 배우를 등장시켜 일제강점기와 한국 독립 초기 시간대로 온 것만 같은 몰입감을 주었다. 구수한 사투리를 쓰는 배우들은 자신을 삼식이 삼촌 밑에서 일하는 '사일제과' 직원이라 소개하고, 드라마 전체를 관통하는 대사인 "배가 불러야 마음이 열립니다"를 말하며 이성당의 전병과 단팥빵 등을 선물했다. 포토존에서도 촬영한 사진을 옛날 신문지에 인쇄할 수 있어, 과거에 온 듯한 기분을 더했다. 빠른 전개를 선호하는 젊은 세대가 지루해할 수도 있는 배경 설명 부분을 팝업 공간을 통해 이해시켜, 시청자가 시리즈를 빠르게 '정주행'할 수 있도록 했다.

↓ 디즈니플러스 〈삼식이 삼촌〉 팝업스토어

커티삭 팝업스토어

상황극을 통해 전달하는 브랜드 히스토리

대중적인 위스키 브랜드인 '커티삭'은 범선의 선원 혹은 금주법 시대의 술꾼이 된 듯한 기분을 선사했다. 성수동과 가로수길에서 각각 진행한 커티삭 팝업스토어는 방문자에게 역할을 부여했다. 브랜드의 상징인 범선을 타는 거친 선원이라는 설정이나, 미국 금주법 시대에 몰래 술을 먹으러 들어온 사람이라는 상황을 제시해주고, 배우인 직원들은 이에 맞게 고객과 소통했다. 배우들이 방문하는 사람에게 "경찰이 따라오진 않았나?" 하는 식으로 질문하고 사은품으로 도둑이 쓰는 복면을 주기도 하는 등 이 팝업스토어는 젊은 타깃을 대상으로 재미있게 몰입할 수 있는 공간을 구성하여 브랜드의 히스토리를 전달했다.

↓ 커티삭 팝업스토어 (출처: 뷰어스 홈페이지)

최고의 장인을 만나는 흔치 않은 기회

럭셔리 브랜드가 공간 브랜딩을 시도하고자 고른 첫번째 선택지는 플래그십 스토어의 구축이었다. 여러 브랜드가 청담동 명품 거리에 그들의 아이덴티티를 보여주는 고급스럽고 세련된 공간을 구축하며 프리미엄 브랜드라는 가치를 확립하기 위해 노력했다. 시간이 지나, 현재 럭셔리 브랜드의 전장은 팝업 공간으로 옮겨갔다. 당장은 실구매자가 아니더라도 젊은 잠재 고객에게 브랜드에 대한 동경과 관심을 만들어내야 할 럭셔리 브랜드들은 계속해서 화제성을 만들어내고 새로운 고객을 만나기 위해 플래그십 스토어에서 벗어나기 시작했다. 디올, 버버리, 자크뮈스, 코치 등 다양한 명품 브랜드가 성수동 등 새로운 공간에서 팝업스토어를 열었다.

럭셔리 브랜드는 팝업 이벤트를 통해 상설 공간에서는 보여줄 수 없었던 다채로운 이미지를 보여준다. 공간 콘셉트를 쉽게 바꾸기 어려운 상설 매장과 달리, 팝업 이벤트는 상품 라인업이나 계절 등의 이슈에 따라 휴양지와 수영장 콘셉트의 완전히 새로운 공간을 조성하는 등 화려한 볼거리를 제공하며 방문자를 브랜드에 몰입시킨다. 한편, 어떤 브랜드는 명품이라는 이름에 걸맞은 양질의 상품을 보여주기 위해 상품 제작자를 직접 불러 고객과 만나게 하는 자리를 마련하기도 한다.

에르메스 인 더 메이킹

에르메스 가죽 장인의 바느질 클래스

'에르메스 인 더 메이킹(Hermès in the Making)'은 에르메스에서 럭셔리 제품을 '공예'라는 관점에서 조명한 대형 브랜드 공간이다. 롯데월드몰 광장 앞에서 운영된 이 공간의 주인공은 고급스러운 럭셔리 제품이 아닌 그것을 만드는 사람, 장인(匠人)과 그들의 정신인 '크래프트맨십(Craftsmanship)'이다. 럭셔리 브랜드의 팝업스토어 같지 않은 수수하고 심플한 공간에서 스카프를 염색하는 수동 기계, 에르메스식 바느질을 배울 수 있는 작은 탁자, 에르메스의 그릇을 붓으로 채색하는 프랑스 장인이 방문객을 맞이했다.

↓ '에르메스 인 더 메이킹' 전시장 외관

↑ 장인이 직접 교육하는 에르메스의 바느질 방법

이 전시는 실제로 제품을 만드는 데 필요한 기계, 도구, 재료들과 그것을 사용하는 장인들의 작업 방식을 보여주며 에르메스가 제품의 질을 높이려고 세우는 고집스러운 원칙들을 설명했다. 그들은 럭셔리 브랜드가 추구하는 화려한 이미지나 라이프스타일에 대해서는 일절 언급하지 않으며 오직 이 재료가 얼마나 좋은 것인지, 그들이 고수하는 전통적인 작업 방식이 왜 제품의 질을 높이는 데 필요한지 설명할 뿐이다. 사람들은 공간을 경험하면서 에르메스가 사용하는 가죽, 염료, 천 등의 재료와 디테일한 디자인과 그래픽의 품질을 이해할 수 있다. 다른 럭셔리 브랜드와 다르게 품질에 대해 이성적으로 접근하여 에르메스가 지닌 높은 위상과 그에 따른 가격을 납득하게 하고, 방문객이 에르메스라는 브랜드에 한층 몰입하게 만들었다.

↑ 에르메스 상품 제작에 쓰이는 도구와 소재들
↓ 에르메스 도자기를 채색하는 방식을 보여주는 프랑스 장인

디지털 기술과 공간의 결합:
피지털리제이션

Physitalization

3

피지털리제이션(Physitalization)은 디지털 기술과 물리적 공간이 결합하여 새로운 차원의 몰입형 브랜드 경험을 제공하는 공간 트렌드다. 미디어 아트, VR, 인터랙티브 기술 등 첨단 요소들이 물리적 공간에 접목되어 방문자가 상호작용을 통해 브랜드의 가치를 실감하게 한다.

미디어 아트로 새롭게 정의되는 공간

브랜드들은 차별화된 공간 경험을 제공하기 위해 다양한 기술을 적용하고 있다. 특히 상호작용(Interaction) 요소가 강조되는 요즘 팝업스토어의 트렌드를 따라가기 위해서, 방탈출 카페처럼 방문자의 행동에 의해 변화하는 상호작용 요소를 구현하여 방문자에게 '와우 포인트'를 제공하는 팝업스토어 사례를 볼 수 있다. 또한 무빙 스크린, VR 디바이스 등 방문자의 시선을 사로잡기 위한 다양한 기술이 팝업 공간에 적용되고 있다.
호텔, 공연장 등 공간 브랜드를 운영하는 입장에서 미디어 아트는 매우 매력적인 선택지다. 브랜드가 표출하고자 하는 예술성을 보여줄 수 있는 장치이면서, 광고를 전달하는 미디어로서 효용 가치 또한 높다. AI의 발전으로 다양한 그래픽 영상을 쉽게 제작할 수 있게 되면서 미디어 아트 콘텐츠가 이전보다 더 쉽고 다양하게 개발될 것으로 보인다. 언제든지 콘텐츠를 바꾸어 새로운 분위기를 연출할 수도 있기에 장기적 활용 관점에서도 매력적이다. 이런 이유로 고화질의 거대 LED 스크린을 통해 공간의 내외부를 채우는 장소가 나타나고 있으며, 이를 통해 벽, 천장 등 공간의 모든 면을 활용하여 화려한 공간 경험을 만들어내는 사례도 등장했다.

인스파이어 엔터테인먼트 리조트

압도적인 미디어 아트가 만든 화제성

인천 영종도에 오픈한 인스파이어 엔터테인먼트 리조트(Inspire Entertainment Resort)는 호텔, 공연장, 컨벤션, 카지노 등 다양한 시설을 운영하는 '한국식 라스베이거스 리조트'를 표방한다. 인스파이어 엔터테인먼트 리조트가 정식으로 오픈하기 전에 사람들의 관심을 끈 요소는 길이 150미터, 높이 25미터에 달하는, 거대한 벽과 천장을 LED로 채운 공간 '오로라'다. 오로라는 30분마다 거대한 고래의 바닷속 유영을 볼 수 있는, 심해에 있는 듯한 경험을 체험하게 해주는 영상을 재생한다.
오로라 외에도 156개의 움직이는 LED 패널로 이루어진 키네틱 샹들리에가 있는 '로툰다' 또한 방문자의 시선을 사로잡는다. 천장에 달린 샹들리에 조각 같은 스크린은 이동하며 위치가 계속 바뀌고 스크린 내의 영상도 달라지는데, 이는 일반적인 조형물에서 느낄 수 없는 새로운 비주얼을 선사한다.

↓ 인스파이어 엔터테인먼트 리조트의 '오로라'
→ 인스파이어 엔터테인먼트 리조트의 '로툰다'

INSPIRE A

오프라인 방문자를 온라인으로 데려가는 세련된 방법

누군가 온라인 쇼핑 플랫폼도 공간 브랜딩이 필요한지 질문한다면 업계의 대답은 "그렇다"라고 할 수 있다. 쿠팡, SSG, 오늘의집, 29CM, 지그재그 등 다양한 쇼핑 플랫폼이 크고 작은 오프라인 브랜드 공간을 만들어왔다. 하지만 각자 마련한 공간의 관점은 달랐다. 플랫폼의 이름을 알리기 위해, 브랜드가 지향하는 라이프스타일을 보여주기 위해, 파트너사 판매량을 높이기 위해 등 다양한 목적을 가진 각 플랫폼은 여러 기획전, 스토어, 전시 공간을 선보였다.

우리는 온라인 쇼핑 플랫폼의 오프라인 브랜드 공간에서 한 번쯤 스마트폰으로 그 플랫폼에 접속하게 된다. 공간을 경험하는 어느 단계에서 앱에 로그인해야 하거나, 온라인 플랫폼에서 결제해야 하거나, 현장에서 준 쿠폰과 혜택을 입력해야 하는 상황이 생기기 때문이다. 이 절차를 방문자가 귀찮아할 때 브랜드 공간의 경험은 나빠지지만, 반대로 방문자가 브랜드 공간에서 쇼핑 플랫폼으로 연결되는 것을 재미있고 매력적인 행동으로 여긴다면 높은 마케팅 효과를 기대할 수 있다.

오프라인 공간에서 온라인 연결을 긍정적인 경험으로 만들기 위해서는 기술적인 접근과 세심한 고민이 필요하다. 팝업 장소에서 스마트폰을 통해 온라인에 연결되는 행동을 능동적이고 즐거운 마음으로 할 수 있도록 다양한 기획이 시도되고 있다.

2024 무진장 성수 팝업스토어

고객을 할인 매장으로 이동시키는 보물찾기 놀이터

올리브영의 '올영 세일'처럼 무신사의 '무진장 세일'은 하나의 브랜드가 되었다. 다양하고 창의적인 공간 마케팅을 시도하는 무신사는 무진장 세일을 홍보하기 위해 팝업 공간에서 옷을 보여주지 않는 선택을 했다. 어차피 상품은 온라인몰에 모두 비치된 상황에서, 온라인 판매를 촉진하는 곳으로 오프라인 공간을 활용한 것이다. 상품 없이 미로처럼 만들어진 100평이 넘는 '2024 무진장 성수 팝업스토어' 구석구석에는 QR 코드가 숨겨져 있었다. QR 코드에는 적립금과 할인 쿠폰이 무작위로 포함돼 있어, 사람들은 이 공간에서 혜택을 '사냥'하는 데 집중했다. 방문자들은 마치 보물찾기를 하듯 팝업스토어를 배회하며 QR 코드를 촬영했다.

또한 이 미로 같은 공간은 OOTD(Outfit Of The Day) 사진을 남기기에도 좋았다. 다른 사람을 신경쓰지 않고 사진을 찍을 수 있는 포토존이 구석구석에 있었는데, 무진장 세일을 상징하는 색인 주황색의 강렬한 색감 덕에 사진도 잘 나오도록 구성되었다.

공간 밖에는 세일 기간 내내 진행되는 무신사의 라이브 커머스가 재생되었고 방문 인증 시 바로 옆 무신사 매장에서 쓸 수 있는 쿠폰이 제공되었다. 온라인 쇼핑 플랫폼으로서 오프라인에서 온라인으로의 이동, 옆 매장으로의 이동을 자연스럽게 유도하고 긍정적으로 판매를 촉진할 수 있는 공간을 효과적으로 구현했다.

↓ 보물찾기처럼 곳곳에 QR 코드가 숨겨진 2024 무진장 성수 팝업스토어 (출처: 무신사)

디지털 콘텐츠를 현실에서 만나는 기쁨

요즘 젊은 세대가 찾아가는 장소는 어떤 곳일까? 최근 미성년자 '혼자', 혹은 미성년자 '끼리' 떠나는 해외여행이 늘어나고 있다. 어른의 방해 없이 청소년이 계획하고 다녀오는 해외여행을 살펴보면, 이들은 사람들이 흔히 가는 대표적인 여행지보다는 자신이 보았던 영화, 만화, 게임에 등장하는 현실 공간 혹은 그 모티브가 된 공간을 찾아 자신의 감성을 채운다. 만화 〈슬램덩크〉의 배경이 된 가나가와현 에노시마 전철역에 방문하거나, '마리오 카트' 게임처럼 도쿄 시내에서 카트를 타는 것을 계획하는 식이다.

이제는 디지털 콘텐츠, IP가 사람들을 현실 공간으로 이끈다. 그리고 이런 현상은 브랜드 공간에서도 마찬가지로 나타나고 있다. 가상 아이돌 플레이브의 팝업스토어가 더현대 서울에서 오픈하여 인산인해를 이루었고, 팬들이 애니메이션 속 캐릭터의 생일을 축하하기 위해 생일 카페를 여는 경우도 흔하게 찾아볼 수 있다. 팝업스토어를 열고자 하는 브랜드들은 인기 있는 캐릭터와 컬래버레이션하여 주목도를 높이려는 시도를 하고 있다. 방문자는 자신이 콘텐츠 속에서 본 요소가 현실에서 충실히 구현된 것을 확인하며 즐거움을 느끼고 인증샷을 남긴다.

모여봐요! 코엑스 아쿠아리움

닌텐도 챙기고, 물고기 앞에서 찰칵

닌텐도 스위치 게임 '모여봐요 동물의 숲'은 닌텐도 스위치의 한국 판매를 견인했다고 볼 수 있을 정도로 큰 인기를 끈 게임이자, 여성 팬의 비중이 높은 게임이기도 하다. 이 게임에서는 무인도에서 유유자적하며 수많은 종류의 물고기를 채집하여 도감을 완성할 수 있다.

이 점에 착안한 닌텐도는 현실 속 아쿠아리움과의 컬래버레이션으로 브랜드 공간을 구성하는 전략을 전개하고 있다. 일본 요코하마의 시 파라다이스 아쿠아리움과의 컬래버레이션에 이어, 한국에서 코엑스 아쿠아리움과의 컬래버레이션으로 '모여봐요! 코엑스 아쿠아리움'을 진행한다. 아쿠아리움 전체에 게임 캐릭터들이 깨알같이 등장하고, 박물관장 캐릭터인 부엉이가 게임에서 만나볼 수 있는 물고기를 자세히 설명한다. 아쿠아리움 구석구석에서는 '모여봐요 동물의 숲' 팬이라면 눈여겨보지 않을 수 없는 설치물과 캐릭터를 확인할 수 있다.

↓ 사시사철 채집할 수 있는 수생 생물과 수족관이 등장하는 게임 '모여봐요 동물의 숲' (출처: 닌텐도 코리아)

'모여봐요! 코엑스 아쿠아리움'에 열광하는 고객층의 나이대는 매우 다양하다. 어머니와 딸이 동시에 닌텐도를 들고 방문하기도 하고, 친구, 이모와 조카 등 다양한 관계의 고객들이 오픈 첫날 아쿠아리움을 방문했다. 도감을 완성한 경험이 있는 게이머들은 모든 공룡 종류를 외우는 아이처럼 이미 물고기의 정보에 대해 알고 있는 채 그것을 실제로 보는 일에 즐거움을 느낀다.
방문자들이 사진을 찍는 방식은 매우 흥미롭다. 많은 방문자가 자신의 닌텐도 속 물고기와 실제 수조 속 물고기를 함께 사진을 찍거나, 게임 캐릭터 패널과 실제 닌텐도 속 캐릭터를 같이 사진으로 남기는 모습을 볼 수 있다. 현실의 물고기를 게임 콘텐츠를 통해 알게 되고, 이를 실제 공간에서 구경하는 상황에 재미를 느끼는 요즘 세대의 공간 경험의 일면을 보여준다.

↓ 코엑스 아쿠아리움 곳곳에 배치된 '모여봐요 동물의 숲' 캐릭터들
↘ '모여봐요! 코엑스 아쿠아리움' 방문자가 게임 속 생물과 현실 생물을 같이 담은 인증샷 (출처: @vin.327 인스타그램)

온+오프 하이브리드 모임의 등장

우리는 코로나19를 겪으면서 각자의 공간에 격리되어 일하거나 공부하는 법을 배웠다. 그리고 각자 스마트폰과 이어폰을 가지고 있는 상황에서, 정보를 얻고자 모두가 같은 곳을 보고 귀를 기울여야 할 필요는 사실상 없어졌다. 하지만 그럼에도 사람들은 모임이나 유대감을 원한다. 한 공간에 모여 있다는 느낌이 필요한 것이다.

젊은 세대가 즐겨 쓰는 게임용 메신저이자 스트리밍이 가능한 '디스코드'에서는 특이한 문화를 볼 수 있다. 방과후에 학생들이 각자의 컴퓨터로 디스코드를 켜고 코로나19 시절의 화상 회의처럼 각자 책상에 앉아 자신의 행동을 스트리밍하는 것이다. 누군가는 액체 괴물 장난감을 만지며 노는 모습을, 누군가는 자신이 게임하는 화면을, 누군가는 자신이 공부하는 손을 친구들에게 스트리밍한다. 각자 집에서 자신의 관심사를 즐기지만 서로 무엇을 하는지 언제든 볼 수 있는 이 모임의 형태를 정의하는 표현은 아직 없지만, 이들은 흔히 "디스코드에 사이버 온기를 느끼러 간다"라고 표현한다.

'모이다'라는 말의 조건이 점점 느슨해지고 있다. 이제 사람들은 각자의 모니터를 보거나 노이즈 캔슬링 이어폰을 끼고 있더라도 한 장소에 같이 있었다면 '모임'으로 인정한다. 그런가 하면 각자 다른 장소에서 같은 영상을 보는 것만으로도 '모여 있었다'고 치기도 한다. 이렇게 모임 즉 이벤트에 대한 인식이 변화하고 있는 지금, 그동안 관습적으로 유지해왔던 이벤트의 상식을 깨는 결과물이 도출되기도 한다.

이매진 드래곤스 〈LOOM〉 음감회

피시방에 모여 음악을 들읍시다

록 밴드 이매진 드래곤스(Imagine Dragons)는 일렉트로니카 장르와 록 음악 장르를 결합한 사운드 덕분에 특히 게임계에서 좋아하는 뮤지션이다. 게임 관련 영상에서 배경음악으로 활용되고, 인기 게임인 '리그 오브 레전드'의 월드 챔피언십 주제가를 부른 적도 있다. 유니버설 뮤직 코리아는 이매진 드래곤스의 신보 〈LOOM〉의 홍보를 위해 파격적으로 피시방에서 음악 감상회(줄여서 음감회)를 여는 이벤트를 준비했다. 게임 행사를 개최하기도 하는 대형 피시방인 서초동 'Portal PC'에서, 비전공자의 입장에서 음악을 리뷰하는 콘텐츠로 유명해진 크리에이터 룩삼의 사회를 통해 진행된 '이매진 드래곤스 〈LOOM〉 음감회'에서는 방문자 모두가 컴퓨터 앞에서 헤드폰을 끼고 음악을 감상하는 진풍경이 펼쳐졌다.
유튜브 라이브로 동시에 송출된 이 행사는 방문자들이 육성이 아닌 유튜브 라이브 댓글로 소통하는 등 온라인 행사와 오프라인 행사의 요소가 섞인 이벤트였다. 그러나 이매진 드래곤스와 게임을 좋아하는 방문자의 성향을 고려할 때 이 부분은 전혀 문제되지 않았다. 각자의 모니터 앞에서도 타인과 유대감을 느끼는 데 익숙한 젊은 세대에게 이런 행사는 낯설지 않으며 오히려 더 자연스럽게 의견을 낼 수 있는 대화의 장이 되기도 한다.

→ 이매진 드래곤스 〈LOOM〉 음감회 (출처: 유니버설 뮤직 코리아)

Battle G

아프리카TV
Twitch
YouTube
검색
주요 채팅
IMAGINE DRAGONS
O O M
OUT NOW
모두
주천
저장

Part III 콘텐츠의 변화

콘텐츠 시대의 오프라인 공간

오프라인 공간은 항상 새로울 수 있는가? 얼마나 빠르게 변화하며 새로움을 줄 수 있는가? 디지털 시대에 하루가 다르게 쏟아지는 새로운 온라인 콘텐츠들을 접하다보면 오프라인 공간의 경쟁력에 대해 생각해보지 않을 수 없다. 코로나19 팬데믹 해제 후 오프라인 공간에 대한 사람들의 목마름과 직접적인 경험의 중요성이 재인식되며 팝업스토어와 같은 이벤트 공간이 큰 인기를 끌고 있다. 하지만 그것이 온라인 콘텐츠에 대한 사람들의 흥미를 완전히 뛰어넘었는가 하면 그렇지 않다. 오프라인 공간은 물리적 제약으로 인해 동일한 공간에서 외형적으로 매번 새로움을 주기 어렵기 때문이다. 결국 오프라인 공간에서의 시각적 변형에 의한 경험은 온라인 콘텐츠에 비해 다양성과 속도 측면에서 한계가 분명하므로, 오프라인 공간이 경쟁력을 갖기 위해선 비주얼을 넘어 공간 안에 담긴 콘텐츠로 승부해야만 한다.

사람들이 온·오프라인 콘텐츠를 통해 결국 얻고자 하는 것은 새로운 경험이다. 온라인 콘텐츠를 통해서는 간접적 경험을, 오프라인 콘텐츠를 통해서는 직접적 경험을 얻는다는 점만 다를 뿐, 이전까지 해보지 못한 경험을 하고자 콘텐츠를 찾는다는 점은 같다. 그러므로 공간을 채우는 콘텐츠를 유연하고 독창적으로 변화시켜 새로운 경험을 제공할 수 있어야 콘텐츠 범람의 시대에서 살아남는 공간이 될 수 있다. 이러한 연유로 오늘날 공간 속 콘텐츠는 단순히 제품을 정직하게 전시하던 고전 방식을 넘어 다양한 형태로 진화하고 있다. 콘텐츠에 담긴 이야기를 통해 새로운 경험을 선사하는 오프라인 공간들을 살펴보자.

스타 기획자가 만든 공간:
디렉터스 룸

Director's Room

1

디렉터스 룸(Director's Room)은 마케터, 디자이너와 같이 다양한 분야의 기획자가 자신의 스타일, 감성, 취향을 반영해 만든 독창적인 공간을 의미한다. 이 공간은 기획자의 개성과 철학이 담긴 차별화된 경험을 제공한다.

우리는 왜 기획자를 사랑하는가

최근 연예인이 아닌데도 연예인만큼 인기 있는 사람들이 있다. 바로 예능 프로그램 PD 나영석과 유명 베이커리 브랜드 '런던 베이글 뮤지엄'을 만든 기획자 이효정이다. 두 인물 모두 자신만의 스타일을 독창적 아이디어로 표현하고 창의적인 콘텐츠로 선보이며 본인이 속한 업계에서 스스로 장르가 됐다. 초기에 사람들은 그들이 만든 예능 프로그램과 베이커리 브랜드를 좋아했다. 당시에는 그것을 만든 사람보다 콘텐츠나 브랜드 그 자체에 대한 관심이 더 컸을 것이다. 하지만 사람들은 콘텐츠가 자신의 취향과 일치한다고 느끼면, 그 뒤에 있는 기획자에 대한 호기심을 가지기 시작한다. 그리고 그 기획자가 제작한 다양한 콘텐츠가 마음에 들면, 자연스럽게 그를 따르는 팬이 되어간다. 이처럼 기획자를 중심으로 팬덤 문화가 형성되고 있으며 그들의 존재감 또한 날로 커지고 있다. 이러한 현상의 연장선으로 브랜드 기획자, 크리에이티브 디렉터, 디자이너, 마케터 등 다양한 방면의 기획자들이 사랑받고 있다. 팬들은 기획자뿐 아니라 그들의 작업물을 사랑하고 그들이 만든 브랜드에 아낌없는 응원을 보낸다. 공간 또한 마찬가지다. 그들이 디자인하고 기획한 공간은 단순히 멋지고 힙한 장소가 아니라 기획자의 아이디어, 철학, 감성을 체험할 수 있는 특별한 장소로 여긴다.

무비랜드

기획자의 이야기를 담은 극장

블록버스터 영화를 보러 영화관에 줄을 서고, 영화관 상영작이 천만 관객을 불러모으는 일은 이제 굉장히 특별한 이야기다. 1958년부터 66년간 운영되던 영화계의 상징적인 장소인 대한극장도 역사 속으로 사라지고, 대기업이 운영하는 멀티플렉스 영화관들 또한 줄줄이 문을 닫고 있다. 영화관은 더이상 데이트의 성지나 핫플레이스가 아니며, 사람들은 OTT 플랫폼을 통해 집에서 영화를 포함한 다양한 콘텐츠를 즐길 수 있게 됐다.
이러한 때에 그 비싼 성수동 골목에 극장을 연 사람이 있다. 일하는 사람들을 위한 브랜드 '모베러웍스'의 대표 모춘이다. 모베러웍스는 퇴사 후 무작정 시작한 유튜브 기록을 기점으로, 일에 대한 고민, 브랜드를 만드는 과정 등을 여과 없이 보여주는 콘텐츠로 인기를 끌며 팬을 만들었다. 일을 사랑해 일에 관해 이야기하는 그들은, '가능하면 되도록 빨리'라는 뜻의 'ASAP(As Soon As Possible)'를 '가능하면 되도록 느리게(As Slow As Possible)'로 위트 있게 표현하거나, '적게 일하고 많이 벌자'를 영어로 표현한 'Small Work Big Money'와 같은 재미와 공감을 불러일으키는 메시지를 만들며 직장인들의 사랑을 받았다. 스스로를 이야기 추종자라 부를 정도로 스토리와 메시지를 중요하게

↓ 모춘 대표가 유튜브 채널인 MoTV를 시작하고 처음 업로드한 브랜드 제작기이자 유튜브 출사표를 담은 영상 (출처: MoTV 유튜브)
↘ 모베러웍스가 만든 슬로건인 ASAP 콘셉트 이미지 (출처: 모빌스그룹 홈페이지)

생각하는 모춘 대표는 그동안 굿즈와 캐릭터로 이야기를 전해왔다면, 이제는 영화라는 매체를 통해 이야기를 전달하고자 극장을 열었다고 설명한다.

그가 만든 극장 '무비랜드'는 흡사 놀이공원 같다. 총 세 층으로 이루어진 공간은 관객이 와글와글한 1층을 지나, 2층에서 상영 영화를 기다리며 잠시 쉬고, 3층에서 영화를 볼 수 있는 구조다. 1층은 매점, 기념품 가게, 계산대로 나뉘어 있으며 방문객들이 팝콘과 콜라를 구매하고 굿즈를 구경하는 등 활기가 넘치는 공간이다. 여기에 무비랜드 극장주 모춘의 유쾌한 환영사가 더해져 무비랜드만의 즐거운 에너지가 완성된다. 2층은 라운지로, 영화에서 영감받은 오브제와 모춘이 직접 만든 대표 상영작 로고가 새겨진 항아리 등이 전시되어 있다. 3층에 있는 상영관은 30석의 작은 규모지만 어느 좌석에서도 편히 영화를 볼 수 있도록 쾌적하게 조성되었으며 모베러웍스만의 감성으로 곳곳이 디자인되어 있다.

↑ 모베러웍스에서 만든 영화관 무비랜드 전경 (출처: 디자인플러스 홈페이지)
↗ 무비랜드 1층에 위치한 매점 (출처: 디자인플러스 홈페이지)
↓ 무비랜드 2층에 위치한 라운지 (출처: 헤이팝 홈페이지)
↘ 무비랜드 3층에 위치한 상영관 (출처: 디자인플러스 홈페이지)

상영되는 영화 또한 특별하다. 근래에 개봉한 인기작이 아닌, 극장주 모춘을 시작으로 다양한 분야의 아티스트들이 시대와 장르의 제한 없이 큐레이션한 영화를 정해진 기간에 상영한다. 이는 예술 영화관이나 멀티플렉스 영화관에서는 볼 수 없었던 생소한 형태의 상영 방식이다. 따라서 극장에 방문한 사람들은 극장주이자 기획자인 모춘과 큐레이션한 사람의 취향을 선정 영화를 보며 고스란히 느낄 수 있다.

모춘은 무비랜드를 설립하는 과정과 오픈까지의 이야기들을 모두 유튜브 채널 MoTV에서 공개했다. 이러한 스토리텔링은 팬들이 무비랜드라는 공간을 모춘과 함께 기획하고 오픈한 것처럼 느끼게 한다. 또한 성공뿐 아니라 실패하고 좌절하는 이야기도 고스란히 담겨 있어 이를 통해 누군가는 동질감을 느끼기도 할 것이다.

모춘이 기획한 콘텐츠와 공간에는 모두 그만의 철학과 이야기가 담겨 있다. 영화관이 쇠퇴하는 시대에 무비랜드가 사랑받는 이유는 공간에 담긴 기획자 모춘의 이야기를 사랑하는 팬들이 있기 때문이다. 따라서 무비랜드의 문을 열고 들어가는 것은 스토리텔러 모춘의 거대한 이야기책을 펼치는 것과 다름없다.

↓ 모베러웍스가 MoTV에 공개한 극장 제작기 영상 (출처: MoTV 유튜브)

참신한 아이디어로 가득찬 육면체의 공간

물질이 풍요를 넘어 범람하는 오늘날, 기획자의 참신한 아이디어는 리테일 공간의 인기를 불러오는 해답이 되기도 한다. 침대 위에 가만히 누워 터치 몇 번만 하면 물건 구입이 가능한 세상이라 온라인에서 구하지 못하는 오프라인 물건이란 거의 없기 때문에, 오프라인 공간이 소비자를 유혹하기 위해서는 제품에 참신한 아이디어가 더해져야 한다. 이때 기획자들의 역할이 빛난다. 제조업자와는 다른 시각으로 사고하여 세상에 없던 물건을 만들어내거나, 판매를 위한 공간 경험까지 유기적으로 기획하며 소비자들에게 전에 없던 오프라인 경험을 선사한다.

오늘날의 기획자는 장르의 경계를 허무는 사람들이다. 자신의 전공 분야에만 머무르지 않고, 틀에 박히지 않은 과감한 아이디어를 통해 소비자에게 참신한 콘셉트 속 극대화된 경험을 제공한다. 이는 경험을 사고파는 시대에 그들이 만든 공간이 사랑받는 이유다. 앞으로는 기획자 앞에 붙는 고정된 수식어가 불필요하게 될 것이다. 이미 많은 기획자가 장르를 넘나들며 다양한 아이디어를 선보이고 있으며, 소비자는 그들의 참신한 발상에 열광하고 있다.

뉴믹스커피

바리스타가 아닌 기획자가 연 2세대 믹스커피 다방

2024년 6월 통계청에 따르면 2022년 말 기준으로 국내 커피 전문점 수가 10만 개를 돌파했다. 이는 편의점 수의 약 2배에 달하는 수치로, 한국인은 밥보다 커피를 더 많이 먹는다는 우스갯소리가 이제 농담처럼 들리지만은 않는다. 이처럼 한 집 건너 한 집꼴로 카페가 있는 요즘 시대에 오랫동안 한국인들에게 사랑받는 커피가 있다. 바로 믹스커피다. 흔히 자판기에서 뽑아 마시고 스틱 형태의 제품을 직접 타 마시는 간편한 인스턴트 제품이, 어느 날 갑자기 성수동 카페에 나타났다. 그란데클립이 만든 공간이자 상품인 '뉴믹스커피'다.

뉴믹스커피는 이름 그대로 기존의 믹스커피를 기반으로 한 요즘 스타일의 새로운 커피 브랜드다. 배달의민족 창업주인 김봉진 전 의장이 새롭게 만든 그란데클립이라는 회사에서 시작한 F&B 법인 스노우엠(snowM)의 첫 브랜드로, 브랜드 창업에 참여한 멤버 상당수가 배달의민족을 만든 우아한형제들 출신이고 소셜미디어상에서 인기 있는 기획자이자 마케터들이다. 재미있고 독창적인 마케팅을 전개해온 이들이 모여 만든 '믹스커피 전문점'이라는 전례 없던 신선한 공간은 기획 단계부터 소비자들의 관심을 받았으며 오픈 후에도 꾸준히 인기를 끌고 있다.

'사소한 것을 위대하게'라는 그란데클립의 모토를 그대로 반영한 공간에서는 사소한 믹스커피의 위대한 변신을 확인할 수 있는 메뉴들이 판매되고 있다. 볶은 쌀 맛, 군밤 맛 등 한국인들이 좋아하는 재료를 믹스커피에 더해, 익숙하지만 전에 없던 2세대 믹스커피를 만들었다. 더불어 오란다, 떡, 건빵 등의 한국 전통 간식을 요즘 스타일로 재해석한 디저트 메뉴는 커피와 함께 페어링할 수 있도록 구성되었다. 레트로 간식과 믹스커피를 판다고 해서 공간 콘셉트마저 레트로인가 하면 그렇지 않다. 한국에서 현재 가장 힙한 동네인 성수동에 위치한 매장에서는 아티스트들과 협업한 미디어 아트 영상과 음악이 역동적으로 흘러나오며, 메탈릭 소재와 조명을 활용해 미래지향적 무드를 선사한다. 이는

→ 그란데클립이 만든 믹스커피 전문점 '뉴믹스커피'의 성수동 매장 전경 (출처: 헤이팝 홈페이지)

newmix

언제 어디서든 물만 있으면 마실 수 있는 믹스커피의 다이내믹함과 역동적인 삶을 살아가는 한국 사람들을 브랜드 콘셉트로 하여 기획자들이 공간에 유기적으로 풀어낸 아이디어의 산물이다. 매장의 위치 또한 전통적인 한국의 모습을 볼 수 있는 장소가 아닌, 최근 국내뿐 아니라 해외 젊은 세대들도 좋아하는, 한국에 오면 방문하고 싶어하는 장소인 성수동을 선택함으로써 새로운 한국다움을 표현하고자 했다. 그들이 정의한 '뉴코리안'을 위한 새로운 커피가 뉴믹스커피다.
소비자들이 그란데클립과 그 기획자들에게 바라는 건 대단한 미식 경험이 아닌 그들의 장기인 재미있고 독창적인 아이디어의 실현이다. "잠깐, 근데 우리가 언제부터 커피를 내려 마셨지? 원래 커피는 타 먹는 거야"라는, 이 브랜드의 소셜미디어 계정에 게재된 문구처럼 사람들은 사소하고 평범한 것에 대한 의문에서 시작된 새로운 아이디어를 기획자에게 기대한다.

↓ 정윤수 작가가 참여한 미디어 월의 미디어 아트 (출처: 헤이팝 홈페이지)

↑ 다양한 맛의 믹스커피와 페어링해 먹을 수 있는 오란다 간식 (출처: 헤이팝 홈페이지)

핫플을 만드는
기획자의 취향과 감성

종종 사람들은 좋아하는 배우에게 '믿고 보는'이라는 수식어를 붙이곤 한다. 이는 단순히 그 배우의 연기력이 훌륭하다는 칭찬에 그치지 않고, 그 배우가 출연하는 작품이라면 재미와 퀄리티도 보장된다는 신뢰를 의미한다. 다시 말해, 배우의 실력뿐 아니라 작품을 선택하는 안목과 감각까지도 높이 평가하는 표현인 것이다. 그 배우가 등장하는 영화나 드라마는 자연스럽게 흥미로운 작품으로 여겨지며, 팬들은 그의 작품이라면 어떤 장르든 믿고 찾아본다.

공간 또한 '믿고 가는' 곳들이 있다. 특정 기획자나 디자이너가 만든 공간이 매번 높은 퀄리티를 자랑하면서도 감각적인 경험을 제공할 때, 사람들은 그 기획자가 만든 공간을 '믿고 가는' 공간으로 인식하게 된다. 이때 공간에 담긴 감각적 경험은 당연히 기획자 고유의 취향과 감성의 산물이다. 기획자의 취향을 신뢰하고 추종하는 팬들은 그가 만든 어떤 공간이든 믿고 따라갈 준비가 되어 있다. 팬들에게 기획자는 만족스러운 공간 경험을 제공하는 가이드이며, 기획자에게 팬은 어떠한 새로운 공간과 콘텐츠를 세상에 내놓아도 이해해주는 든든한 지원군이다.

결국, 핫플레이스(줄여서 '핫플')를 만드는 가장 효율적인 마케팅 방법 중 하나는 감각과 안목이 뛰어난 기획자가 공간을 설계하고, 그의 취향을 따르는 팬들이 자발적으로 그 공간을 방문하면서 자연스레 버즈를 형성하는 것이다. 이러한 상호작용은 브랜드나 공간에 지속적인 인기를 보장하게 된다.

LCDC SEOUL

성수동 개척자의 감성이 집약된 복합문화공간

2024년 현재 서울의 핫플레이스를 꼽으라면 단연 성수동이 먼저 언급된다. 2010년 초반 강남 등지에서 생활하던 예술인들이 월세의 부담 때문에 성수동으로 옮겨와 정착한 것이 핫플 성수동의 시작이다. 당시 성수동은 제조업의 쇠퇴로 인해 폐공장이 늘어 슬럼화된 상태였다. 대다수 사람은 신식의 새 건물을 선호해 노후화된 건물이나 폐공장에는 눈길을 주지 않았지만, 성수동에 정착한 예술가들의 생각은 달랐다. 그들은 이 공간들을 리모델링하기 시작했다. 그 선봉에 아틀리에 에크리튜의 김재원 대표가 있었다. 그가 성수동에 연 카페는 '자그마치'로, 2014년 100평짜리 인쇄 공장을 개조해 만든 공장형 카페의 시초다. 그 당시 자그마치는 성수동에서 커피와 더불어 문화, 디자인 등 다양한 콘텐츠를 선보이는 유일한 공간이었다. 자그마치를 시작으로 그는 카페 '오르에르',

↓ 김재원 대표가 성수동의 옛 인쇄 공장을 리모델링하여 오픈한 카페 '자그마치' (출처: 아는동네 홈페이지)

경험 공간 '오르에르 아카이브', 문구 편집숍 '포인트오브뷰', 구움과자 가게 '오드투스윗' 등 그만의 감각적인 취향과 감성을 담은 공간들을 성수동에 선보였다. 이후 유사한 콘셉트의 공간들이 우후죽순 생겼지만 사람들은 그의 유니크한 감성과 취향이 담긴 공간들에 꾸준한 사랑을 보냈다.

'LCDC SEOUL'도 그중 하나다. LCDC SEOUL은 김재원 대표가 에스제이그룹의 의뢰를 받아 기획한 복합문화공간이다. LCDC라는 이름은 시인 잠바티스타 바실레(Giambattista Basile)에 의해 수집된 이야기가 담긴 이야기책 『펜타메로네(Pentamerone)』의 다른 이름을 프랑스어식으로 표기한 '이야기 속의 이야기(Le Conte Des Contes)'의 머리글자들에서 비롯됐다. LCDC는 '이야기 속의 이야기'라는 뜻답게 다양한 이야기를 가진 브랜드가 모여 새로운 이야기를 만들어내는 공간을 표방한다. 김재원 대표는 직접 선택한 여러 크리에이터들과 협업하여 원래 자동차 정비소였던 세 개 동의 건물을 리모델링하고, 자신의 취향을 반영한 콘텐츠로 채웠다. 또 '일상에서 비일상으로 이어지는 여정'이라는 공간 콘셉트를 표현하기 위해 건축주의 브랜드를 1층이 아닌 2층에 배치하는 과감한 시도를 하였는데, 그로 인해 1층의 편안한 카페부터 2, 3층의 섬세히 큐레이션된 브랜드숍까지 점층적으로 집약된 하나의 스토리를 따라 공간을 여행하는 듯한 느낌을

↓ 복합문화공간 LCDC SEOUL 전경 (출처: LCDC SEOUL)
→ 옥상에서 바라본 LCDC SEOUL 모습 (출처: LCDC SEOUL)
↘ LCDC SEOUL 3층 브랜드숍 '도어스(Doors)' (출처: LCDC SEOUL)

방문객에게 선사한다. 더불어 감각적인 공간을 위해 빛과 음향까지 그의 감성과 노하우를 담아 설계하고 큐레이션했다고 하니, LCDC SEOUL은 김재원 대표의 섬세한 감성 집합체라고 해도 과언이 아니다.

그의 공간은 감각적이나 트렌드의 문법을 따르진 않는다. LCDC SEOUL 또한 트렌드에 발맞춘 힙한 공간보다는 누구나 오래 머물고 싶은 공간을 우선적인 목표로 기획되었다. 요즘 공간 트렌드인 등받이 없는 불편한 의자, 하얀 벽에 의미 없이 걸린 포스터, 야자수 화분 등의 요소는 철저히 배제하고 젊은 세대만을 위한 공간이 아닌 더 다양한 세대가 함께 즐길 수 있는 편안한 공간으로 만들었다. 이런 그의 섬세한 기획과 조화로운 감성이 공간적 균형과 감각적인 경험 제공으로 이어졌다.

LCDC SEOUL은 오픈 첫 한 달간 약 3만 명의 사람들이 방문했다고 한다. 이곳이 다른 공간과 차별화되고 주목받을 수 있는 건 곳곳에서 마주하게 되는 김재원 대표만의 취향과 감성 때문이다. 최근 많은 공간이 복합문화공간을 표방하며 생겨나고 있지만, 사람들에게 진정한 영감을 줄 수 있는 공간이란 이처럼 기획자의 독보적 취향과 감성으로 차별화된 공간일 것이다.

↓ LCDC SEOUL 1층 카페 '이페메라(Ephemera)' (출처: LCDC SEOUL)
↘ LCDC SEOUL 4층 바 '포스트스크립트(Postscript)' (출처: LCDC SEOUL)

밈으로 말을 거는 공간:
밈 스페이스

Meme Space

2

밈 스페이스(Meme Space)는 소비자가 오프라인에서 밈을 통해 브랜드와 유쾌한 커뮤니케이션을 할 수 있는 공간을 의미한다. 이 공간은 밈 콘텐츠를 활용해 시각적 즐거움뿐 아니라 감정적인 연결을 끌어내는 경험을 소비자에게 제공한다.

온라인 유머 코드 밈,
오프라인 공간의 소통 수단이 되다

오늘날 밈은 그 어원인 학술적 용어로 사용되는 것이 아닌 인터넷에서 사용되는 유머 코드 또는 인터넷 유행 정도로 설명된다. 하지만 과거 TV 예능의 유행어가 TV 속에만 갇혀 있지 않았듯 오늘날의 인터넷 밈도 온라인 세상에만 머무르지 않는다. 더욱이 온오프라인의 경계가 무의미해진 시대에 젊은 세대는 밈을 자기만의 스타일로 해석하고 다양한 형태로 자유롭게 변화시키며 오프라인에서도 적극 사용한다.

젊은 세대가 밈을 커뮤니케이션 수단으로 사용하기 시작하면서 브랜드들도 그들과 소통하기 위해 이를 활용하고 있다. 밈 탄생의 본거지인 온라인뿐 아니라 오프라인 공간에서도 밈을 통해 소비자와의 유쾌한 대화를 시도한다. 오프라인 공간을 방문하는 것은 온라인 대비 상대적으로 더 큰 기회비용이 따르기에, 브랜드의 오프라인 공간은 단순한 시각적 즐거움을 넘어 보다 섬세하게 방문객의 감정까지 터치할 수 있는 전략이 필요하다. 이를 위해 브랜드들이 밈을 선택한 것이다. 밈으로 소비자에게 말을 거는 공간, 바로 밈 스페이스다.

갓청자 침투부 스튜디오 초대석

애청자의 즐거움으로 가득한 명언 박물관

바야흐로 대(大) 크리에이터의 시대다. 유튜브라는 동영상 공유 플랫폼이 우리 일상과 떼려야 뗄 수 없는 관계가 되며 유튜브 크리에이터는 이제 연예인보다 더 인기가 많고 화제성을 몰고 다닌다. 그 선봉에 침착맨이 있다. 그는 웹툰 작가 출신 유튜브 크리에이터로, 2024년 9월 기준 구독자 약 260만 명과 함께하는 거물급 스타다. 그런 침착맨이 자신을 하나의 브랜드로 하여 팬들과 소통하기 위한 팝업스토어를 열었다. 바로 '갓청자 침투부 스튜디오 초대석'이다.

← 침착맨 팝업스토어
'갓청자 침투부 스튜디오 초대석' 포스터
(출처: 침착맨 유튜브)

이 팝업스토어는 침착맨이 유튜브 방송을 하는 스튜디오에 팬들을 초대하는 콘셉트로, 그 스튜디오는 팬들이 명언처럼 여기는 침착맨의 밈이 탄생한 곳이다. 유튜브 방송 콘텐츠에서 밈을 통해 팬들과 교감해왔던 침착맨은 오프라인에서 또한 밈으로 팬들과 소통했다. 그의 공간은 그야말로 '침착맨 밈 박물관'이라 해도 과언이 아니다. 각 공간에 대한 설명, 포토존, 굿즈 등 밈을 활용한 콘텐츠들이 팝업스토어 곳곳에 배치되어 있어 방문한 팬들에게 큰 재미를 선사하며 인기를 끌었다. 실례로 침착맨이 방송에서 레몬의 효능을 언급한 것이 팬들 사이에서 밈으로 굳어져 레몬나무가 있는 포토존이 탄생했으며, 나무에 달린 열매 또한 침착맨의 얼굴이 그려진 스트레스 볼 굿즈로 제작돼 팬들의 사랑을 받았다.

↓ 방송중 탄생한 침착맨의 밈이 명언처럼 전시된 구역 (출처: 포썸무브먼트 홈페이지)
→ 레몬 밈에서 비롯된 레몬이 달린 포토존 (출처: 포썸무브먼트 홈페이지)
↘ 침착맨 스튜디오를 그대로 재현한 팝업스토어 내 포토존 (출처: 신세계백화점)

또 그의 다양한 어록을 담은 랜덤 포토 카드도 큰 인기였는데, 팬이라면 당연히 알 만한 그의 밈을 활용해 재미를 주고 팬들의 구매욕을 자극했다. 이에 팬들은 30종을 모두 모으고자 포카깡★을 하거나 카드 교환을 위해 교류하는 등 자발적으로 소통하고 그들끼리의 문화를 형성하며 화답했다.

유머 요소를 기반으로 한 밈이란 본디 같은 재미를 느끼는 사람들끼리 공감대를 형성하고 이를 통해 상호작용한다는 의미에서, 침착맨의 팝업스토어는 공간을 방문한 팬들과 밈이라는 유희 요소로 유대감을 공고히 하였으며 그로 인해 큰 즐거움과 만족감을 제공했다.

← 조기 품절 상황이 있었던 '침착맨 포토 게임 카드' (출처: 갓청자 침투부 스튜디오 초대석 인스타그램)

★ **포카깡** 다양한 종류의 포토 카드를 모으거나 원하는 카드를 획득하기 위해 대량으로 구매하는 행위

브랜드 충성도를 높이는 황금 열쇠

연인이나 친구처럼 가까운 사이에서 우리는 종종 우리만 아는 언어로 이야기하고 싶은 욕구를 느낀다. 우리끼리만 알고 즐기는 행위는 특권 의식을 느끼게 하며 서로를 더욱 가까운 사이로 여기게 하기 때문이다.

브랜드와 소비자 사이에서 밈은 연인이나 친구끼리 만든 밀어와 같은 역할을 한다. 밈이 만들어진 맥락을 이해할 수 있는 같은 집단에 속해 있지 않으면 그 뜻을 완벽히 이해하기 어려우며, 밈으로 소통하는 브랜드와 소비자는 '우리끼리'라는 유대감과 함께 서로에 대한 애정을 형성한다. 이처럼 감정적으로 연결된 브랜드는 소비자에게 더 큰 의미를 갖게 하고, 이는 브랜드의 신뢰도로 이어진다.

요즘 브랜드들은 너도나도 찐팬★을 만들기 위해 노력한다. 찐팬들은 좋아하는 브랜드에 꾸준한 관심과 아낌없는 애정을 보내며, 이는 곧 브랜드의 성장과 매출로 직결되기 때문이다. 찐팬을 만드는 방법의 중심에는 소통이 있다. 밈을 활용한 소통은 유대감을 바탕으로 브랜드에 대한 소비자의 애정과 신뢰도를 형성하고, 브랜드는 이를 통해 충성도 높은 소비자, 즉 찐팬 확보가 가능하다.

★ **찐팬** '진짜 팬'이라는 뜻으로 브랜드에 대한 충성도가 높은 소비자를 지칭

페이커 신전

페이커를 숭배하는 공간

페이커는 게임 '리그 오브 레전드(League of Legends, 이하 '롤')'의 프로게이머로 "롤은 몰라도 페이커는 안다"라는 말이 있을 정도로 대한민국을 넘어 세계적으로 '롤'을 대표하는 선수다. 선수의 활동 기간이 짧은 e스포츠 세계에서 11년 동안이나 정상의 자리를 유지해 살아 있는 전설로 불리는 그를 위해 라이엇 게임즈가 2024년 '페이커 신전'이라는 오프라인 행사를 진행했다. 개장 첫날 라이엇 게임즈 추산 3,400명이 몰려 문전성시를 이룬 팝업스토어는 페이커의 시그니처 포즈 동상이 있는 포토존, 챌린지 공간, 명장면들을 회상할 수 있는 사진 전시 등으로 구성되었다.
그를 '롤'의 신이라 부르며 신도가 되길 자청하는 팬들이 특히 열광한 것은 기습 숭배 부스와 숭배 백일장 등 페이커의 밈 '기습 숭배'를 활용한 콘텐츠들이었다. 기습 숭배란 팬들이 뜬금없고 기습적으로 페이커를 숭배하는 행위로, 그와 전혀 관련 없는 기사나 콘텐츠에 댓글로 "이걸 보니 문득 페이커가 새삼 대단하다고 느껴지네"와 같은 댓글을

↓ 팝업스토어 '페이커 신전'에 입장하기 위해 대기하는 관람객들 (출처: 경기신문)
↘ 페이커의 시그니처 포즈인 '쉿' 손동작 동상 (출처: 게임톡 홈페이지)

달며 반응하는 것을 말한다. 이러한 현상이 밈이 되어 페이커의 팬들은 그가 대단한 플레이를 펼칠 때마다 기습 숭배, 더 나아가서는 정기 예배까지 드리며 그를 찬양한다.
그런 그들에게 숭배 콘텐츠를 즐길 수 있는 페이커 신전은 그들만의 밈 문화를 오프라인 공간에서 마음껏 즐길 수 있는 장, 바로 밈 스페이스인 것이다. 실제로 팬들은 기습 숭배 부스에서 절을 하기도 하고 팝업스토어 전체가 크게 울리도록 응원의 메시지를 외치기도 하였으며, 숭배 백일장에서 응원 메시지들로 벽면을 가득 채워 장관을 연출하는 등 콘텐츠를 120% 즐기는 모습을 보였다. 그뿐 아니라 "페이커 팬이라면 무조건 방문해야 한다", "역시 페이커", "예배 다녀오니 신앙심이 깊어진다" 등의 만족감과 동시에 페이커에 대한 더 커진 애정을 표현하는 후기를 다수 생산했다.
팝업스토어 페이커 신전은 기습 숭배 밈을 통해 페이커라는 브랜드를 향한 팬들의 충성도를 공고화하는 데 성공했다. 팬들은 팝업스토어에 방문하기 전부터 페이커를 숭배하러 간다고 표현하고, 신전에 도착해 몸소 숭배하고, 돌아와서는 더욱 깊어진 신앙심으로 또 숭배하게 되며, 그로 인해 페이커를 더욱더 좋아하는 찐팬이 되었다. 이 공간에서의 밈은 충성 고객을 만드는 핵심 키였던 것이다.

↓ 기습 숭배 부스에서 한 팬이 "대상혁"을 외치며 페이커를 숭배하는 모습 (출처: 머니투데이)
↘ 페이커를 향한 팬들의 응원 메시지로 가득한 벽 (출처: 게임인사이트 홈페이지)

철 지난 캐릭터도 부활시키는 소통의 힘

어린 시절 좋아하던 애니메이션 캐릭터는 어른이 되면 대개 잊히거나 추억 속에만 남는다. 일부는 명맥을 유지하며 다음 세대로 대물림되기도 하지만, 어른이 되어 유아기 시절에 좋아했던 캐릭터를 계속 또는 다시 좋아하는 사람이 많지 않은 것이 일반적이었다.

하지만 최근 몇몇 캐릭터가 밈과 함께 부활하며 다시 인기를 얻고 있다. 어린이를 대상으로 하던 기존 캐릭터의 성격을 과감히 벗어던지고 다소 익살스러운 표정과 재미있는 멘트들로 MZ세대의 취향을 저격했다. 캐릭터 성격의 변신은 다양한 '짤'을 생산하게 했으며, 이는 여러 사람에게 재미와 공감을 불러일으키며 밈이 되었다. 온라인에서의 인기는 오프라인까지 이어지며 그들을 주인공으로 한 다양한 공간도 생겨났다. 그곳에 이들을 부활시킨 밈은 당연히 함께였다.

밈은 단순한 유머 요소를 넘어 오늘날의 사회·문화적 트렌드와 밀접하게 연결되기에 현재를 살아가는 나 또는 내 주변인의 생각을 대변하는 메시지가 되기도 한다. 그렇기 때문에 귀여운 외형적 요소에 더해, 조금은 도발적이라도 그만의 매력이 있는 페르소나를 통해 만들어진 밈 캐릭터에 사람들은 더욱 열광하는 것이다. 오늘날 밈 캐릭터를 주인공으로 한 팝업스토어가 인기인 것이 바로 그 방증이다. 그곳이 단순히 캐릭터의 공간이 아닌 밈 콘텐츠로 구성된 밈 스페이스이기 때문이다.

쿵야 레스토랑즈 소원상점

밈으로 한 땀 한 땀 바느질한 굿즈 돈방석

'쿵야 레스토랑즈'는 2003년 출시된 캐주얼 게임 '야채부락리'의 캐릭터이자 넷마블의 대표 IP인 쿵야의 스핀오프 브랜드다. 넷마블의 콘텐츠 자회사 엠엔비(MNB)는 2022년부터 쿵야들의 이야기를 담은 쿵야 레스토랑즈를 인스타그램을 통해 선보이고 있으며, 귀여운 외모에 조금은 발칙한 대사를 하는 캐릭터로 MZ세대 사이에서 인기를 끌고 있다. 캐릭터의 인기로 다양한 IP 상품에 대한 소비자의 니즈가 높아졌고, 이에 발맞춰 엠엔비에서도 2023년 3월 첫 팝업스토어인 '쿵야 레스토랑즈 행운상점'을 열었다. 팝업스토어에서는 키링, 스티커, 인형 등 다양한 캐릭터 굿즈가 공개되었는데, 매일 오픈런이 이어질 정도로 많은 팬에게 큰 인기를 끌었다. 성공에 힘입어 '사랑상점', '소원상점', '용기상점' 등의 팝업스토어가 진행되었으며, 이름에서 알 수 있듯이 쿵야 레스토랑즈의 굿즈를 살 수 있는 '상점'을 핵심 콘텐츠로 매번 신규 굿즈들을 선보였다.

특히 세번째 팝업이었던 소원상점에서는 총 200여 종의 굿즈를 선보여 가히 쿵야 백화점이라 칭해질 만하였으며, 일부 품목들은 조기에 품절되어 그 인기를 실감케 했다. 굿즈 디자인은 쿵야의 캐릭터와 그 밈을 반영했다. '노력 없이 성과를 이루고 싶다', '힘들지 않습니다', '힘들 땐 툭툭 털고 일어나용. 힘들게 하는 사람 강냉이를'과 같이 시니컬

↓ 쿵야 레스토랑즈의 캐릭터인 양파쿵야, 주먹밥쿵야, 샐러리쿵야 (출처: 쿵야 레스토랑즈 홈페이지)

하면서도 도발적인 캐릭터의 성격을 반영한 메시지들이, 전혀 디자인된 것 같지 않은 굴림체로 무심히 적혀 있다. 또한 잘못 제작된 것처럼 규칙 없이 아무렇게나 줄이 바뀐 문장들은 보는 사람의 불편함을 자아내기보다는 캐릭터성을 드러내 또 하나의 재미 요소로 작용했다.

이러한 인기에 힘입어 쿵야 레스토랑즈 팝업스토어는 부산까지 진출했다. 2024년 8월 부산 신세계백화점 센텀시티점에서 역대 최대인 300평 규모의 팝업스토어 '용기상점'이 오픈한 것이다. 해당 공간에서는 총 94종의 굿즈를 선보였으며 한정 수량으로 판매된 상품들은 매일 전량 매진되는 등 큰 호응을 얻었다. 또한 이번 팝업스토어에서는 하이트진로 켈리와 삼성전자 갤럭시 캠퍼스 등 기업 브랜드와 협업해 다양한 콘텐츠와 한정 굿즈를 제공하고 고객 경험(CX)을 강화해 좋은 평가를 받았고, 10일간의 운영 기간에 약 4만 명이 방문하는 흥행 성과를 기록했다.

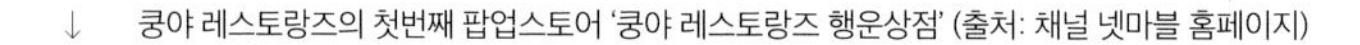

↓ 쿵야 레스토랑즈의 첫번째 팝업스토어 '쿵야 레스토랑즈 행운상점' (출처: 채널 넷마블 홈페이지)

쿵야 레스토랑즈 팝업스토어 시리즈의 연속된 성공은 브랜드와 소비자의 효과적인 커뮤니케이션 공간으로서 밈 스페이스의 가치를 증명하는 사례가 된다. 이처럼 품절과 오픈런을 형성하는 공간을 만들기 위해서는 밈이라는 요즘 시대의 '소통' 수단에 대해 고민해볼 필요가 있다.

↓ 시니컬하면서도 재미있는 밈들로 제작된 쿵야 레스토랑즈 굿즈 (출처: 채널 넷마블 홈페이지)
→ 규칙 없이 줄이 바뀐 문장과 굴림체로 무심하게 디자인된 '영험한 소원수리벽'의 캐릭터 (출처: 채널 넷마블 홈페이지)
↘ '쿵야 레스토랑즈 용기상점' 팝업스토어 (출처: 채널 넷마블 홈페이지)

제품 없는 브랜드 공간이 팔고자 하는 것:
아이덴-숍

Iden-Shop

3

아이덴-숍(Iden-Shop)은 '정체성(Identity)'과 '상점(shop)'의 합성어로, 판매를 위한 제품 없이 브랜드의 철학이나 메시지만을 제공하는 공간을 의미한다. 이 공간에서는 감각적 경험을 통해 소비자에게 브랜드를 전달하며, 이를 통해 발현된 소비자의 호기심과 열망을 제품에 연결한다.

제품을 뒤로 숨기는 브랜드 공간들의 진짜 속마음

최근 몇몇 브랜드의 이벤트 공간에서는 판매를 위한 제품을 찾아볼 수 없었다. 홍보하고자 하는 제품의 거대한 모형을 만들어 배치하고 USP(Unique Selling Proposition)를 공간 이곳저곳에 부착해 전달하는 전형적인 디자인 공식을 따르지 않는 것을 넘어, 아예 전시 제품마저 없앤 것이다. 이처럼 제품이 사라진 공간에는 감각적이고 예술적인 작품, 감성적인 메시지, 구매욕을 자극하는 귀여운 굿즈들이 대신한다. 또 제품과 전혀 연관성이 없어 보이는 체험 프로그램이 진행되기도 한다.

다소 뜬금없어 보이는 이런 전략은 힙한 공간에 대한 관심과 궁금증이 역으로 제품으로 이어져 소비자를 공략하는 데 성공했으며, 특히 젊은 세대에게 큰 호응을 얻고 있다. 제품보다는 경험, 소유보다는 만족감을 중시하는 그들에게 브랜드의 정체성과 철학을 감각적 경험으로 전달하여, 갖고 싶은 쿨한 이미지의 브랜드로 인식되게 하기 때문이다. 이제 소비자들은 제품이 없는 공간에서 브랜드의 스토리를 듣고 경험하며 브랜드와 보다 깊이 커뮤니케이션하고 있다.

N2, NIGHT

명상, 러닝, 음악 콘서트와 투자의 상관관계

NH투자증권이 성수동에 약 400평 규모의 대형 팝업스토어를 열었다. 투자와는 전혀 상관없어 보이는 30여 그루의 나무를 옮겨 심어 도심 속 숲을 재현해냈으며, 모두에게 개방하여 공원처럼 휴식을 즐기도록 구성했다. 심지어 본격적인 콘텐츠들은 밤에만 진행됐다. 아로마 명상을 하고, 인문학 강의를 들을 수 있었으며, 나이트 러닝과 콘서트, 체질 진단 등의 웰니스 프로그램으로 구성된, NH투자증권의 상품과는 전혀 관련이 없는 듯한 콘텐츠였다.

NH투자증권은 '당신의 투자, 문화가 되다'라는 브랜드 슬로건을 내걸고, 투자와 문화를 결합한 다양한 브랜딩 활동을 전개해왔다. 한때 과열된 주식과 코인 투자 등으로 인해 형성된 좋지 않은 이미지를 개선하고, 건강한 투자 문화를 제시함으로써 긍정적인 브랜드 이미지를 전달하고자 노력했다. 이러한 측면에서 이번 팝업스토어에서는 상품을 전면에 내세워 홍보하기보다는 '자기 성장의 시간, 밤에 투자하세요'라는 슬로건하에 여러 콘텐츠를 담고자 했다.

명상 프로그램은 참가자들이 정신적, 감정적 균형을 찾아 힐링할 수 있도록 구성했다. 투자와 인문학 강의, 나이트 러닝 프로그램으로는 자기 성장을, 체질 자가 진단과 그에

↓ NH투자증권이 성수동에 연 팝업스토어 'N2, NIGHT' (출처: NH투자증권)
↘ 팝업스토어 마당에 옮겨 심은 나무 (출처: 녹색경제신문)

맞는 F&B 제공 프로그램을 통해서는 자신을 알아가고 돌보는 방법을, 콘서트를 통해서는 음악을 통한 즐거움과 힐링을 선사했다. 체험 프로그램을 밤에 진행한 것은 최근 홍보하고 있는 미국 투자를 자연스럽게 연상시키기 위한 전략으로 보인다. 밤이라는 시간과 성장, 투자라는 키워드를 연결해, 한국 시간을 기준으로 밤에 하는 투자 상품인 미국 투자가 새로운 경제적 성장을 위한 수단이 될 수 있다는 사실을 암시한 것이다.

그간 투자 회사들에서 진행한 마케팅은 대다수 돈이라는 투자 수단과 직접적인 연관성이 있는 것들이었다. 예를 들면, 게임을 통해 얻은 코인을 현금화해 주식을 제공하거나, 모의 투자를 진행해보는 형태의 프로그램 등이 대표적이다. 이러한 마케팅 활동 또한 젊은 세대에게 투자의 재미를 소개한다는 점에서 좋은 전략일 수 있겠으나, 가치 소비를 추구하는 MZ세대를 타깃으로 한다면 소비자의 정신적, 감정적 건강을 고려한 프로그램을 제공함으로써 사회적 책임을 다하고자 하는 NH투자증권의 마케팅 방식이 보다 알맞은 전략일 것이다. 더불어 투자는 딱딱하다는 기존의 이미지를 탈피하고 투자, 힐링, 자기 성장을 결합한 새로운 형태의 경험을 제공함으로써 타 금융 회사와는 다른 그들만의 차별적 이미지를 만들었다. 이는 NH투자증권이 단순한 금융 기관을 넘어 소비자 삶의 질을 높이고자 하는 기업이라는 의지를 보여주는 계기가 되었다.

NH투자증권의 제품을 숨긴 마케팅 공간은 브랜드의 가치와 철학을 전달하며 소비자들과 깊이 소통했다. 이제 브랜드는 단순히 물건을 파는 것에 집중하는 것이 아니라, 소비자와의 고차원적인 커뮤니케이션 방식을 고민해봐야 할 때다.

↓ 체험 프로그램 '힐링 나이트(Healing Night)'에서 명상 테라피가 진행되는 모습 (출처: NH투자증권)

↘ 체험 프로그램 'N2, 트레이(N2, Tray)'에 참여한 사람들이 자신의 체질에 맞게 제공된 음료와 디저트를 즐기는 모습 (출처: 우먼타임스)

무거운 주제일수록 재미있는 경험으로

때때로 브랜드는 그들의 철학이나 복잡한 기술 설명 등과 같이 어렵고 무거운 이야기를 해야 할 때가 있다. 하지만 이러한 주제는 자칫 잘못하면 소비자에게 부담을 줄 수 있고 브랜드가 너무 딱딱하거나 멀게 느껴지게 할 위험이 있다.

팝업스토어는 이런 문제를 해결할 좋은 수단이다. 단순히 제품을 홍보하고 판매하는 공간이 아니라, 소비자가 브랜드의 메시지를 재미있고 자연스럽게 체험할 수 있는 경험의 장으로 활용할 수 있기 때문이다. 오프라인 공간에서의 즐거운 경험을 통해 전달한 메시지는 그 감정과 함께 오랫동안 기억 속에 남게 되어 그 어떤 전달 방식보다 효과적이다. 더불어 이러한 경험 공간을 통해 브랜드에 대한 친밀감까지도 형성할 수 있다.

팝업스토어는 이제 단순한 판매 공간을 넘어 어렵고 무거운 이야기를 가볍고 즐거운 방식으로 전달할 수 있는 전략적 도구로 자리잡았다. 다양한 감각적 공간 경험을 통해 브랜드의 메시지를 소비자가 능동적으로 습득하고 깊이 이해할 수 있는 이상적인 마케팅 공간이 된 것이다.

지금저장소

난임 전문 병원이 젊은 세대와 소통하는 방법

세계적인 난임센터인 마리아병원이 국내 최초로 난자 냉동 팝업스토어 '지금저장소'를 열었다. 지금저장소는 난자 냉동과 팝업스토어라는 어색하기만 한 단어들의 조합을 통해 20~30대에게 낯선 난자 냉동 및 배아 냉동을 소개하고 이들과 자연스럽게 소통하고자 했다.
이름에 맞게 지금저장소는 지금 당신에게 소중한 가치가 무엇인지를 묻고 대답하는 형식의 체험으로 구성되었다. 다만 이 체험은 노골적으로 난자 냉동이나 배아 냉동에 대한 의사를 묻거나 상품 가입을 요구하지 않았다. 방문객은 사랑, 우정, 성장, 자유, 건강과 같은 보편적 가치 중 지금 나에게 소중한 것을 선택해 공 담기 게임을 하고, 포토존에서

← 마리아병원 지금저장소 전경

현재 나의 모습을 저장했으며, 나에게 소중한 지금이란 어떤 시간인지 선택한 결과에 따라 제공된 다양한 맛의 구슬 아이스크림을 먹는 등 즐거운 체험을 했다. '지금'과 '저장'에 관련된 재미있고 다양한 프로그램에 참여하며 그들은 '가장 젊고 건강한 지금의 가임력을 보존한다'는 난자 냉동의 개념을 자연스레 터득할 수 있었다.
또 공간 곳곳에 '무엇이든 도전할 수 있는 용기와 기회를 가진 지금', '친구들과 소중한 시간으로 추억을 쌓는 데 집중하는 지금' 등 임신과 출산을 강요하는 것이 아닌 공감과 위로를 주는 메시지가 배치되어 있어 젊은 세대에게 좋은 반응을 얻었다.
마리아병원은 무겁고 어려운 콘텐츠를 정공법으로 보여주기보다는 재미와 감성이라는 커뮤니케이션 형식 뒤에 숨겨 섬세한 경험으로 전달했다. 이러한 방식은 그들이 타깃으로 한 20~30대 여성을 완벽히 이해한 기획으로, 난자 냉동 및 배아 냉동에 대한 이해도를 높이고 브랜드에 대한 긍정적 이미지를 확립할 수 있게 했다.

↓ 각자 선택한 소중한 가치에 맞는 색깔의 공을 찾아 담는 게임존

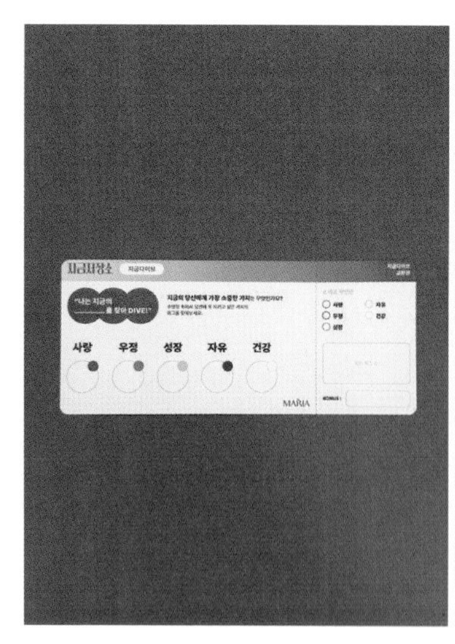

↑ 재미있는 문구들과 함께 지금의 내 모습을 촬영할 수 있는 포토존
↓ 체험 프로그램 내 선택에 따라 다른 맛으로 제공된 아이스크림

비즈니스의 키를 똑똑하게 파악하라

커머스 플랫폼들이 보여주는 매출 성장의 키는 잘 팔리는 대표 상품이 아닌 경우가 많다. 다양한 브랜드가 입점해 상품을 판매하고 이에 따른 수수료로 수익을 창출하는 구조이기 때문에, 입점 브랜드와의 관계를 관리하는 것이 대표 상품을 만드는 것보다 중요한 일일 수 있다.

최근 급격히 성장한 커뮤니티 커머스★ 플랫폼들 역시 이름에서 알 수 있듯 비즈니스의 핵심은 커뮤니티다. 같은 관심사와 취향을 가진 소비자가 모여 형성한 커뮤니티 안에서 제품이나 서비스를 거래하는 형태는, 사용자 간 상호작용이 이뤄지지 않아 커뮤니티가 비활성화되는 경우 매출을 만들어내기 어렵다. 따라서 마케팅 방법 또한 상호 간의 소통을 중시하는 커뮤니티의 특성을 우선 고려해야 한다. 제품을 직접적으로 내세우며 홍보하는 것보다는 브랜드와 소비자 간의 섬세한 커뮤니케이션에 초점을 맞춘 방식이 적합하다. 또 자발적 커뮤니티 활동이 일어날 수 있도록 혜택을 제공함으로써 충성도를 형성하고 팬덤을 만드는 전략 또한 중요하다. 이러한 맥락에서 커뮤니티 커머스 브랜드에게 팝업스토어는 소비자와 더욱 가까이에서 호흡하며 친밀하게 커뮤니케이션할 수 있는 기회의 장이 된다.

★ **커뮤니티 커머스(Community Commerce)** 관심사가 비슷한 사용자들이 한곳에 모여 정보나 경험을 공유하며 자연스레 커뮤니티를 형성하고, 이를 바탕으로 제품이나 서비스를 거래하는 형태의 e커머스

Moving Day: 이사가는 날

커뮤니티 커머스의 커뮤니티 이삿날

벌써 몇 년이 지난 이야기지만 코로나19는 우리 삶의 많은 것을 바꾸어놓았다. 외출이 어렵다보니 특히 집에 대한 개념을 많이 바꾸었는데, 그중 하나가 인테리어와 관련한 부분이다. 사람들은 매일 24시간 머물러야 하는 집이 좀더 쾌적하고 내 마음에 들길 바라며 셀프 인테리어에 관심을 보이기 시작한 것이다.

이러한 사회적 흐름과 함께 급성장한 회사가 바로 '오늘의집'이다. 오늘의집은 한국의 대표적인 인테리어 및 라이프스타일 플랫폼으로, 가구, 전자제품, 인테리어 소품 등 집과 관련한 다양한 제품 및 인테리어 용품을 판매하고 있다. 코로나19로 인해 높아진 인테리어에 대한 관심으로 매출이 상승한 것도 기업을 성장시킨 큰 요인이 되었지만, 오늘의집의 주 성공 요인은 바로 커뮤니티 마케팅이다. 오늘의집 사용자 커뮤니티인 '오하우스'에서는 자신의 집을 꾸미는 다양한 아이디어와 노하우를 사용자들이 직접 콘텐츠로 만들어 공유하고 커뮤니케이션한다. 사용자가 직접 생성한 콘텐츠(UGC, User Generated Content)로 소통하는 커뮤니티는 예쁜 콘텐츠를 모방하고 싶은 욕망을 자극하는 것을 넘어, 사용자의 실사용 후기도 확인할 수 있기에 소개된 브랜드와 제품에

↓ 오하우스 멤버들 간의 커뮤니케이션을 위한 밍글링존 (출처: 오늘의집 홈페이지)
↘ 'Moving Day: 이사가는 날' 팝업 전시장 입구 모습 (출처: 오늘의집 홈페이지)

대한 신뢰도가 높다. 따라서 커뮤니티 마케팅이 매출에 직접적인 영향을 미칠 수 있다. 이러한 오늘의집 커뮤니티 오하우스가 시즌을 마무리하고 신규 커뮤니티를 개설하며 오프라인 공간에서 전시를 열었다. 바로 오늘의집 플랫폼 콘셉트에 맞춰 이사 및 집들이라는 키워드를 반영한 'Moving Day: 이사가는 날'이다. 이 전시는 커뮤니티 내 양질의 콘텐츠를 더 많은 유저와 함께 나누기 위해 폐쇄형 시즌제 멤버십을 종료하고 새롭게 창설한 '오늘의집 크리에이터'라는 오픈 커뮤니티를 소개하기 위해 마련되었다.
전시는 기존 커뮤니티인 오하우스에 2,500여 명의 창작자들이 써내려간 33만 5,000개의 기록을 아카이빙하는 형태로 구성되었다. 온라인 콘텐츠를 오프라인 공간에 옮겨 담았으며, 커뮤니티와 함께 성장한 창작자들의 변화를 조명하고 그들이 만든 콘텐츠를 통해 얻은 영감을 방문객과 공유했다. 다만 이 콘텐츠를 단순히 늘어놓은 것이 아니라 커뮤니티 커머스라는 특성을 반영해 사람과 사람이 관계를 맺듯 섬세하게 기획하였으며, 동선 또한 연속적으로 이어지도록 구성했다. 인연을 뜻하는 붉은 실을 제공해 브랜드와 창작자 간의 인연을 감성적으로 표현하고, 오하우스 멤버들의 방처럼 연출한 다락방 포토존을 구성해 멤버들이 만든 콘텐츠가 지닌 감성과 추억을 공간적으로 풀어내 호평을 받았다. 전시 외에도 토크 콘서트를 진행하여, 오하우스 출신 유명 크리에이터들이 모여 기록하고 나누는 커뮤니티의 힘에 대해 방문객들과 이야기를 나눴다. 오늘의

↓ 참석자인 오하우스 멤버들에게 제공된, 운명적인 인연을 뜻하는 붉은 실 (출처: 오늘의집 홈페이지)
↘ 오하우스 멤버들이 보낸 기록의 시간을 직접 눈으로 볼 수 있는 라이프스타일 아카이브 전시 (출처: 오늘의집 홈페이지)

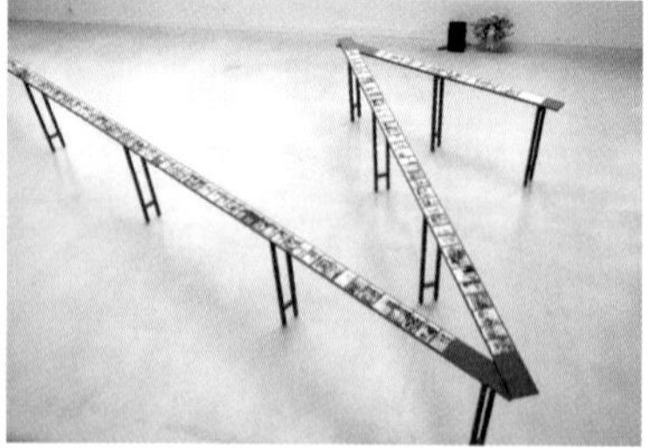

집은 이 전시에서 본인들이 판매하는 제품을 가져오거나 홍보하지는 않았다. 그저 커뮤니티를 형성하고 있는 사용자들과 미래의 창작자들을 위한 콘텐츠를 준비하고, 어렵게 형성한 관계와 소중한 인연의 고마움을 진심으로 표현했다.
오늘의집은 자신들의 플랫폼 매출이 어디서부터 시작되는지 정확히 파악하고, 그에 맞는 마케팅 전략을 공간에 반영했다. 오늘의집은 단순히 제품만 늘어놓는 방식으로는 경쟁 우위를 점할 수 없다. 그보다 더 낮은 가격에 똑같은 제품을 판매하는 곳이 많기 때문이다. 그들의 매출은 앞서 말했듯 커뮤니티 내 콘텐츠에서 시작되며, 그 콘텐츠의 퀄리티를 좌우하는 것은 창작자다. 오늘의집은 수익 창출 요인인 커뮤니티를 공고히 유지하기 위해 지속적으로 새로운 서비스를 창작자에게 제공하는 등 부단히 노력하고 있으며, 그것이 오늘의집이 연 전시에 제품이 하나도 없는 이유 중 하나다.

↓ 오하우스 멤버들의 방처럼 꾸며진 다락방 포토존 (출처: 오늘의집 홈페이지)

이노션 인사이트전략본부 BX LAB

최신 마케팅 동향과 소비자 행동 변화에 대한 분석을 기반으로 미래 브랜드 경험 트렌드를 탐색하는 조직으로, 혁신적인 고객 경험 측정 방법론 및 미래 소비 주체가 될 잘파세대에 대해 심층 연구를 진행하고 있다.

스페이스 트렌드 2025

초판 1쇄 인쇄 2024년 10월 4일
초판 1쇄 발행 2024년 10월 15일

지은이 이노션 인사이트전략본부 BX LAB

편집 정소리 이고호 이원주 **디자인** 디자인판 **마케팅** 김선진 김다정
브랜딩 함유지 함근아 박민재 김희숙 이송이 박다솔 조다현 정승민 배진성
저작권 박지영 형소진 최은진 오서영
제작 강신은 김동욱 이순호 **제작처** 천광인쇄사

펴낸곳 (주)교유당 **펴낸이** 신정민
출판등록 2019년 5월 24일 제406-2019-000052호

주소 10881 경기도 파주시 회동길 210
전화 031.955.8891(마케팅) 031.955.2692(편집) 031.955.8855(팩스)
전자우편 gyoyudang@munhak.com

인스타그램 @thinkgoods **트위터** @think_paper **페이스북** @thinkgoods